AU HASARD LA CHANCE

DU MÊME AUTEUR

ROMANS, RÉCITS ET CONTES

CONTES POUR BUVEURS ATTARDÉS, Éditions du Jour, 1966 ; BQ, 1996.
LA CITÉ DANS L'ŒUF, Éditions du Jour, 1969 ; BQ, 1997.
C'T'À TON TOUR, LAURA CADIEUX, Éditions du Jour, 1973 ; BQ, 1997.
LE CŒUR DÉCOUVERT, Leméac, 1986 ; Babel, 1995.
LES VUES ANIMÉES, Leméac, 1990 ; Babel, 1999.
DOUZE COUPS DE THÉÂTRE, Leméac, 1992 ; Babel, 1997.
LE CŒUR ÉCLATÉ, Leméac, 1993 ; Babel, 1995.
UN ANGE CORNU AVEC DES AILES DE TÔLE, Leméac/Actes Sud, 1994 ;
    Babel, 1996.
LA NUIT DES PRINCES CHARMANTS, Leméac/Actes Sud, 1995 ; Babel,
    2000 ; Babel J, 2006.
QUARANTE-QUATRE MINUTES, QUARANTE-QUATRE SECONDES, Leméac/
    Actes Sud, 1997.
HOTEL BRISTOL, NEW YORK, NY, Leméac/Actes Sud, 1999.
L'HOMME QUI ENTENDAIT SIFFLER UNE BOUILLOIRE, Leméac/Actes Sud,
    2001.
BONBONS ASSORTIS, Leméac/Actes Sud, 2002.
LE CAHIER NOIR, Leméac/Actes Sud, 2003.
LE CAHIER ROUGE, Leméac/Actes Sud, 2004.
LE CAHIER BLEU, Leméac/Actes Sud, 2005.
LE GAY SAVOIR, Leméac/Actes Sud, coll. « Thesaurus », 2005.
LE TROU DANS LE MUR, Leméac/Actes Sud, 2006.
LA TRAVERSÉE DU CONTINENT, Leméac/Actes Sud, 2007.
LA TRAVERSÉE DE LA VILLE, Leméac/Actes Sud, 2008.
LA TRAVERSÉE DES SENTIMENTS, Leméac/Actes Sud, 2009.
LE PASSAGE OBLIGÉ, Leméac/Actes Sud, 2010.
LA GRANDE MÊLÉE, Leméac/Actes Sud, 2011.

CHRONIQUES DU PLATEAU-MONT-ROYAL

LA GROSSE FEMME D'À CÔTÉ EST ENCEINTE, Leméac, 1978 ; Babel, 1995.
THÉRÈSE ET PIERRETTE À L'ÉCOLE DES SAINTS-ANGES, Leméac, 1980 ;
    Grasset, 1983 ; Babel, 1995.
LA DUCHESSE ET LE ROTURIER, Leméac, 1982 ; Grasset, 1984 ; BQ,
    1992.
DES NOUVELLES D'ÉDOUARD, Leméac, 1984 ; Babel, 1997.
LE PREMIER QUARTIER DE LA LUNE, Leméac, 1989 ; Babel, 1999.
UN OBJET DE BEAUTÉ, Leméac/Actes Sud, 1997 ; Babel, 2011.
CHRONIQUES DU PLATEAU-MONT-ROYAL, Leméac/Actes Sud,
    coll. « Thesaurus », 2000.

MICHEL TREMBLAY

La Diaspora des Desrosiers

VI

Au hasard la chance

roman

LEMÉAC / ACTES SUD

Leméac Éditeur reconnaît l'aide financière du gouvernement du Canada par l'entremise du Fonds du livre du Canada pour ses activités d'édition et remercie le Conseil des arts du Canada, la Société de développement des entreprises culturelles du Québec (SODEC) et le Programme de crédit d'impôt pour l'édition de livres du Québec (Gestion SODEC) du soutien accordé à son programme de publication.

Pour Jacqueline Rousseau et Pierre Perrault,
qui ont assisté à la fin de l'écriture de ce roman.

Promesses jamais faites,
promesses jamais trahies.

DICTON JAPONAIS

Nous ne pouvons arracher une seule page
de notre vie,
mais nous pouvons jeter le livre au feu.

GEORGE SAND

PROLOGUE

Ottawa, 1925

TI-LOU PREND SA RETRAITE

À la mort du docteur McKenny, Ti-Lou a connu un moment de panique. Qui allait s'occuper d'elle dorénavant, s'inquiéter de l'état de son diabète, la chicaner quand elle avouerait s'être encore empiffrée de Cherry Delights fournis avec un sadisme conscient ou non par ses clients qui connaissaient sa faiblesse et qui voulaient lui faire plaisir ? La supplier de suivre un régime, sa seule porte de sortie si elle voulait connaître une vie longue et toujours prospère ? La menacer de possibles comas diabétiques, de dangereuses montées de sucre, agiter le spectre de l'amputation, la seule chose qui la terrorisait assez pour qu'elle promette n'importe quoi, plus de desserts, des salades à midi, des promenades, même en hiver, le long du canal Rideau ? Et lui prescrire ses médicaments ? Qui vérifierait chaque mois et avec grand soin l'état de ses doigts de pied en disant : «Ça va pour le moment, mais y sont encore trop enflés. Si y prennent une couleur bleutée, venez aussitôt me voir…», ou lui conseiller une fois de plus ces bonbons sans sucre qu'elle avait un jour essayés pour lui faire plaisir et qui goûtaient, ce sont ses propres paroles, le goudron mou ? «Mon chat en veut pas et c'est lui qui teste ma nourriture ! Il est trop gros, lui aussi, y a peut-être lui aussi le diabète, qui sait, mais notre compagnonnage est exceptionnel et on va rien y changer ! Gardez vos douceurs de goudron pour les diabétiques moins exigeants que moi ! Et pour leurs chats. »

Le vieil homme avait lancé un soupir.

« Vous avez jamais eu de chat, madame Ti-Lou.

— Ça fait rien, si j'en avais eu un, y aurait haï ça ! »

Le docteur McKenny parti, elle s'est donc retrouvée seule avec ses boîtes de chocolats aux cerises et ses irrésistibles envies de dormir en plein milieu de l'après-midi quand elle en abusait. Sans espoir d'alléger sa conscience en faisant rire le vieux médecin avec ses anecdotes salées concernant certains de ses clients, ceux, en tout cas, ses ennemis politiques à lui, que le docteur McKenny n'aimait pas et ne détestait pas voir déshabiller et moquer avec verve et pertinence. Et cruauté. Elle lui disait : « Vous êtes retenu par le secret professionnel, pas moi ! Écoutez ben ça… » Et la demi-heure qui suivit était habitée par des butors en tous genres qui se comportaient avec elle comme des porcs et qu'elle se faisait un plaisir de dénoncer au docteur McKenny, sachant qu'il se montrerait discret. Ça l'amusait, lui, ça la soulageait, elle. Il en oubliait de la haranguer tant elle l'égayait, elle en remettait pour qu'il ne revienne pas à ses menaces. Dont elle avait pourtant besoin. Belle contradiction qui lui donnait l'illusion de gagner du temps. « J'ai passé à travers aujourd'hui, je passerai à travers demain. » Vingt-quatre heures de gagnées sur le destin.

Parfois, au cours d'une réception, ils se retrouvaient tous les deux en présence d'un des clients de Ti-Lou et ils devaient faire montre d'une grande maîtrise de soi pour ne pas lui éclater de rire au nez. Ce prélat de Montréal, par exemple, croisé à un bal au profit des scouts et des guides d'Ottawa, qui suait à grande eau du haut de la chaire pendant les retraites fermées, sa spécialité, et pour lesquelles il se faisait payer une somme faramineuse, qui fulminait et fustigeait les pécheurs au nom de l'obéissance aux sacrements – les yeux en boules de billard et l'écume aux lèvres quand il s'agissait de la concupiscence des garçons – et dont ils connaissaient tous deux les déviances sexuelles ridicules et les insignifiantes préférences oscillant vers le pathétique alors qu'il se voyait comme un grand séducteur. Ti-Lou disait : «Aussitôt qu'y a enlevé sa pourpre cardinalice, j'vas vous dire ben franchement qu'y a pus grand-chose de sexy! Tout ce qu'y veut, c'est que j'y dise qu'y est ben pourvu alors qu'y l'est pas et qu'y fait l'amour comme un dieu alors qu'y est plus malhabile qu'un puceau qui a jamais vu une femme tout nue! J'espère que son pape, là, à Rome, est moins niaiseux que ça!» Après une révérence devant ledit cardinal, elle se retournait vers le docteur : «Et que j'y embrasse le cabochon quand on se croise alors que c'est d'autre chose qu'y veut que je m'occupe quand on se retrouve dans ma sweet au Château Laurier!» S'ils ne pouvaient pas s'empêcher de rire, ils allaient se cacher derrière un bouquet de fougère ou plongeaient le nez dans le buffet.

Ces derniers mois Ti-Lou avait remarqué des ombres de plus en plus prononcées sous les yeux du vieux docteur. Un léger tremblement de la main, aussi. Il avait parlé de surmenage, elle ne l'avait pas cru. Lorsqu'elle l'avait trop pressé de questions, il lui avait répondu qu'ils étaient là pour discuter de son diabète à elle et non de ses petits problèmes à lui. Lors de ce qui s'était avéré être l'ultime visite de Ti-Lou à son cabinet de consultations, une terrible maigreur lui collait la peau sur les os. Là encore, lorsqu'elle lui avait demandé de ses nouvelles, il avait esquivé la question en passant tout de suite aux semonces et aux reproches : elle avait encore grossi, son taux de sucre avait grimpé, sa pression était haute, il voyait bien qu'elle avait quelque difficulté à respirer, il ne fallait pas qu'elle attende qu'il soit trop tard pour agir. Elle avait répondu qu'il lui répétait les mêmes choses depuis des années, il lui avait fait remarquer que c'était son devoir et qu'il se reprochait assez souvent de n'avoir pas été assez sévère avec elle par le passé.

« Vous m'enfirouapez depuis vingt-cinq ans, madame Ti-Lou, vous me faites rire, vous détournez la conversation quand j'essaie d'être un tant soit peu sérieux, vous entrez ici en virevoltant comme un papillon soûl et vous sortez en esquissant des pas de danse, mais pendant ce temps-là, votre santé se détériore et vous ne faites rien. Si vous n'avez pas peur, moi oui. »

Elle avait retiré la longue épingle qui retenait son chapeau, avait posé sur le bureau l'énorme capeline d'où semblait s'échapper une flopée d'hirondelles, cachant son dossier médical sous une montagne de soie et de dentelles.

« Vous savez très bien que je viens plus vous visiter pour l'examen mensuel qu'exige mon métier que pour parler de mon diabète, docteur… Et pour le plaisir de jaser avec vous. Je suis sûre que vous jasez pas avec beaucoup de vos clients.

— Non, c'est vrai. Mais vous n'êtes pas là pour ça.

— Je suis aussi ici pour ça… Vous y prenez plaisir, moi aussi. Ensuite, quand on a bien ri, vous fourrez votre tête entre mes jambes pour d'autres raisons que les autres hommes et je m'en retourne chez moi… »

Il n'avait pas ri. Pas même souri. Il s'était contenté de baisser la tête.

C'est à ce moment-là qu'elle avait compris qu'il était vraiment malade. Pas de repartie cinglante, aucune mention des dangers qui la guettaient, la cécité, la gangrène – le mot le plus laid et le plus terrifiant de la langue française. S'il n'essayait plus de lui faire peur, c'est qu'il avait abdiqué. Et s'il avait abdiqué...

Et lorsqu'elle avait soulevé ses jupes et baissé ses bloomers – elle en portait encore – pour qu'il plonge la tête entre ses cuisses, il n'avait pas dit, goguenard, pour détendre l'atmosphère, comme il le faisait toujours : « Et maintenant, ma bonne dame, voyons voir comment se comporte votre gagne-pain. » C'était la première fois. Elle en aurait pleuré.

Elle a appris son décès par hasard. Ce qui a d'ailleurs précipité son départ d'Ottawa.

Après une longue marche dans le quartier, un après-midi d'avril, elle passait devant la boutique de madame Carlyle, dans le hall du Château Laurier, lorsqu'elle s'est souvenue qu'elle n'avait plus de dentifrice. Celui que vendait madame Carlyle dans un format minuscule et d'une qualité douteuse goûtait mauvais et brûlait la langue, mais Ti-Lou attendait un client à l'heure de l'apéritif et n'avait pas le temps de courir à la pharmacie la plus proche acheter celui qu'elle préférait, Ipana. Une femme de sa condition devait endurer sans rien dire l'haleine parfois atroce de ses clients tout en fleurant toujours bon la menthe fraîche ou la cannelle, ça aussi faisait partie du métier.

Madame Carlyle avait fait sa grimace habituelle en la voyant entrer dans son antre encombré de babioles

aussi inutiles qu'onéreuses : des Union Jack, des pou-
pées habillées en Royal Canadian Mountain Police,
des gris-gris en poil (soi-disant) de phoque ou de
bébé ours, des bonbons, des chocolats (ah ! les Cherry
Delights !), et ces fleurs en papier que se procuraient
ceux qui étaient trop cheap – ils étaient nombreux –
pour en acheter des naturelles. Les deux femmes ne
s'étaient jamais caché leur mutuelle antipathie, n'es-
sayaient même pas d'être polies l'une envers l'autre et
se parlaient en phrases courtes et sèches. Ti-Lou était
convaincue que madame Carlyle était jalouse de son
train de vie extravagant et la propriétaire de la boutique
était encore, après toutes ces années, choquée qu'une
femme perdue puisse vivre dans une suite de grand
hôtel, entourée et admirée par tout le gratin masculin de la capitale (ce qui, en effet, était de la jalousie
pure et simple).

Jeannine Carlyle était une Québécoise de Hull, née
Théberge, qui avait épousé un anglophone promis à
un grand avenir dans l'espoir de se sortir une fois pour
toutes de la pauvreté et de la promiscuité de sa famille
et qui l'avait vite regretté. Le grand avenir ne s'était pas
réalisé, son mari était mort jeune d'une cirrhose du foie
sans lui laisser un sou, elle s'était débattue pendant des
années pour ramasser le pécule nécessaire pour racheter
ce petit fonds de commerce dans l'hôtel le plus chic
d'Ottawa. Sa clientèle, si on excluait les voyageurs de
passage, se composait en grande partie des membres les
plus influents de la capitale de son pays, des hommes
imposants, puissants, qui hantaient l'étage que le gouvernement canadien se réservait au Château Laurier
pour les rencontres et les réunions internationales. Elle
voyait passer chez elle des ministres dont les photos
paraissaient sans cesse à la une des journaux et qu'elle

traitait avec une flagornerie à la limite de la décence, ainsi que leur personnel qu'elle accueillait nettement moins bien et qu'elle appelait le menu fretin en plissant le nez. Elle était devenue l'une des femmes les plus snobs d'Ottawa, s'imaginait faire partie de cette élite qu'elle côtoyait sans la fréquenter et dont elle n'était en fin de compte que la fournisseuse en fleurs de papier, en babioles folkloriques et en bonbons. Et en capotes anglaises qu'elle appelait des prophylactiques parce que ça faisait plus chic. Lorsqu'on lui demandait des capotes, elle se faisait un point d'honneur de prononcer le seul mot de cinq syllabes qu'elle connaissait tout en tendant le petit paquet sous le comptoir parce que seules les pharmacies avaient le droit d'en vendre. Quand son client était un prêtre et qu'il prétendait que « c'était pour une jeune personne en danger » ou quelque autre baliverne, elle avait envie de lui grimper dans le visage.

Elle savait ce qui se passait à l'étage « international » du Château Laurier, le traitement privilégié qu'on réservait aux importants étrangers de passage, le champagne qui coulait à flots, les repas gargantuesques, les cigares gros comme des barreaux de chaises importés de Cuba, les femmes, légitimes seulement avant onze heures du soir.

Et Ti-Lou. La louve d'Ottawa. La mangeuse d'hommes. Celle que tous réclamaient, même ceux qui arrivaient des antipodes, tant sa réputation était grande. Celle qui n'avait qu'à s'étendre dans la soie et le velours et à écarter les jambes pour se voir couvrir d'or et de compliments. Tout en mangeant les maudits Cherry Delights que Jeannine Carlyle fournissait elle-même à ses clients et dont elle gardait une caisse derrière son comptoir tant ils étaient en demande.

Madame Carlyle haïssait non seulement ce que représentait Ti-Lou, mais tout ce que son métier honteux lui rapportait. L'argent, toujours comptant, jamais déclaré, la notoriété – jusqu'à l'étranger! Les Français achetaient des Cherry Delights pour Petit-Loup, les Asiatiques pour T'lou, les Anglo-Saxons pour Tee-Lou.

Elle se réjouissait cependant de voir que la louve prenait du poids, depuis quelques années, et attendait avec délices le moment où la guidoune devenue trop grosse serait rejetée par ceux-là mêmes qui l'avaient tant désirée. Ils iraient peut-être jusqu'à la chasser du Château Laurier comme indésirable, qui sait. Chaque boîte de Cherry Delights vendue était donc devenue pour elle une espèce de consolation, un baume sur cette plaie vive qu'elle endurait depuis si longtemps et dont elle pouvait enfin rêver de guérir, sa jalousie maladive pour la femme qu'elle n'aurait jamais pu être, parce que les chocolats aux cerises, un à un, menaient Ti-Lou droit à sa perte.

Après avoir jeté le minuscule tube de dentifrice dans un petit sac brun et pris les quelques sous que lui avait tendus Ti-Lou, madame Carlyle – c'était rare – avait semblé vouloir entamer une conversation.

«Vous avez dû être désappointée, madame Ti-Lou, d'apprendre la nouvelle au sujet du docteur McKenny...»

Ti-Lou avait tout de suite compris ce dont il s'agissait – elle l'avait senti, elle l'avait vu venir depuis longtemps – et avait été obligée de s'appuyer de la main contre le présentoir pour ne pas s'écrouler sur le plancher.

«Y est arrivé quequ'chose au docteur McKenny?»

Madame Carlyle avait jeté les pièces de monnaie dans la caisse et refermé le tiroir avec un claquement sec.

« C'est madame Chagnon, la chef des femmes de ménage, qui m'a appris la nouvelle. A'l' avait rendez-vous avec lui, avant-hier, pis quand est arrivée à son bureau, y avait un petit écriteau sur la porte…

— Le docteur McKenny est mort!

— Ça fait un bout de temps, ça a l'air. En tout cas quequ'semaines. Ça fait longtemps que vous avez pas été obligée d'aller le voir? »

D'habitude Ti-Lou n'aurait pas laissé passer l'allusion et aurait servi à madame Carlyle une de ces ripostes dont elle avait le secret et qui avaient le don de clouer le bec de ses interlocuteurs; cette fois, cependant, elle resta sans voix devant l'arrogance de madame Carlyle, sentant à sa grande honte monter à ses yeux des larmes incontrôlables. Il ne fallait pas que madame Carlyle la voie pleurer. Elle s'était emparée du petit sac brun, avait tourné le dos à la propriétaire de la boutique et était sortie, tête haute, sans la saluer, de toute évidence ébranlée.

En entrant dans sa suite, elle a posé sa clé sur la desserte, là où pendant quelques mois, l'année précédente, elle avait fait installer un bouquet de camélias rouges les jours où elle ne pouvait pas recevoir. Presque personne parmi sa clientèle d'ignorants n'ayant lu *La dame aux camélias*, le message n'était pas passé. Elle avait donc laissé le vieux liftier de l'hôtel s'occuper comme d'habitude de faire savoir à ces messieurs que madame Ti-Lou ne serait pas disponible avant plusieurs jours.

Elle a tiré les lourdes draperies de la fenêtre qui donne sur la rue Rideau.

Elle est installée là, bras croisés, depuis une bonne demi-heure. Pendant ces minutes de réflexion, sa vie s'est vue bouleversée. Elle n'a d'abord pas compris pourquoi elle avait l'impression que la mort du docteur McKenny changeait tout : elle avait beaucoup de peine, oui, il allait lui manquer, son sens de l'humour, ses yeux gris si doux, l'odeur de savon cher qui le suivait partout – une importation de son Écosse natale, prétendait-il –, la délicatesse avec laquelle il parlait de son métier à elle sans le juger, comme s'il faisait plus que l'accepter, comme s'il le comprenait, mais un docteur ça se remplace, il doit bien y en avoir d'autres à Ottawa, aussi délicats, aussi compréhensifs... Et c'est à travers cette mansuétude du vieux docteur, justement, cette empathie dénuée de tout jugement moral qu'une effrayante réalité lui est apparue : elle s'est rendu compte dans un terrible moment de lucidité que le docteur McKenny était la seule personne qu'elle fréquentait – et encore, une fois par mois et pour des raisons qui n'avaient rien d'amical – en dehors du Château Laurier. Elle n'avait pas d'amis. Elle n'en avait jamais voulu, c'est vrai, elle avait repoussé les quelques relations qui s'étaient approchées d'elle, de peur de les faire souffrir ou de souffrir elle-même. Elle sortait toujours seule, pour aller au théâtre, pour aller au cinéma, pour faire ses courses, dans une ville où les femmes non accompagnées étaient jugées avec pitié – les vieilles filles et les veuves – ou mépris – celles qui se voulaient indépendantes. Et voilà qu'au bout du compte elle se retrouve seule à un âge où une guidoune qui se respecte aurait dû prendre sa retraite depuis un bon moment, toujours belle et désirable, mais pour combien de temps ? Combien de temps avant qu'on lui tourne le dos ? Ou que le téléphone, qui annonce depuis toujours qu'un monsieur est dans l'ascenseur, cesse de sonner ? Ou que les boîtes de Cherry Delights commencent à se faire rares ?

Elle est consciente de l'état de ses mains, les tavelures, les veines bleutées saillantes, elle adopte depuis un an ou deux des poses inconfortables au lit qui ont pour but de dissimuler son embonpoint et dont elle n'est pas convaincue de l'efficacité – étendue sur le dos, ventre rentré, bras étirés de chaque côté d'elle –, elle a vu avec affolement l'apparition de rides sur son cou qu'elle cache avec de la gaze froufroutante ou des mouchoirs noués, comme une gipsy de cinéma, la naissance d'un double menton, fléau de la famille de son père, et ces petites bajoues molles qui pendent de chaque côté de sa bouche, espèces de poches vides qui tremblotent lorsqu'elle bouge la tête. L'éclairage de sa chambre à coucher a été revu au rose pâle, elle qui s'est toujours vantée de se montrer à ses visiteurs en pleine lumière pour qu'ils apprécient d'avance ce pour quoi ils avaient payé si cher.

La louve n'est plus ce qu'elle était.

Seule et vieillissante. Un cliché ambulant.

Et sans personne désormais pour la rabrouer quand ses incartades deviendraient trop importantes.

Quitter tout ça. La ville où elle a régné pendant des décennies, cette clientèle riche mais si méprisable – les hommes infidèles sans scrupules, les crapules arrivistes, les âmes noires sans conscience et qui ont pourtant le pouvoir de changer le destin d'un pays –, cette vie qu'elle a choisie par dépit, qui l'a rendue riche – une fortune en argent liquide parsemée à travers Ottawa dans des coffrets de sûreté –, mais, elle le savait d'avance et l'avait accepté, loin d'être heureuse.

Vendre le peu qu'elle possède, son phaéton et ses chevaux. Faire table rase. Partir à l'aventure à cinquante ans passés. Pour où ? Plonger dans l'inconnu avec pour seuls compagnons des bagages remplis d'argent. Pour faire quoi ? Voyager, courir sans s'arrêter dans l'espoir que la vieillesse, la vraie, celle, si laide, qui dévaste avant de tuer, ne la rattrape jamais ? Ou alors s'écrouler ici même, dans son lit du Château Laurier, et se suicider à petit feu au champagne et aux Cherry Delights ? Comme le mari de la tante Bebette qui s'était suicidé en mangeant la nourriture grasse de sa femme ?

Elle regarde de l'autre côté de la rue Rideau. La gare de trains. Tous les possibles. Des départs pour partout et pour nulle part. Un hôtel sur rail qui pourrait lui permettre de tout visiter, de tout voir, de tout expérimenter... Vivre dans une suite d'hôtel toujours en mouvement. Aller de l'avant sans regarder derrière. Contempler par la fenêtre le paysage qui se déroule, la vie qui passe. Toronto. Vancouver. Seattle. San Francisco. Los Angeles. Puis le retour vers l'est. New York et ses théâtres, Boston la prude et ses *rednecks*.

Non. Trop fatigant.

Puis elle pense à Montréal, à sa courte visite, il y a trois ans, à l'occasion du mariage de Rhéauna. La tranquillité, la paix des appartements du boulevard Saint-Joseph, leur obscurité qui pourrait lui dissimuler sa propre déchéance, Maria avec qui elle pourrait tenter de renouer. Une personne, une personne, au moins, qui accepterait peut-être de devenir... quoi... une amie ?

Après un docteur compréhensif, une cousine indulgente ?

Elle part de ce grand rire qui a fait frémir tant d'hommes, un tonnerre en cascade qui se termine par une espèce de reniflement animal, un tourbillon dont elle n'est pas certaine que ce soit de la joie, qui vient de loin et qui lui fait monter un hoquet de souffrance.

Une amie. Comme si la chose était pensable.

Elle s'appuie du plat de la main contre la fenêtre.

Donner un coup de poing. Défoncer la vitre. Voler de l'autre côté de la rue. Atterrir dans un compartiment de première classe qui sent bon le cuir neuf et le bois verni… Là, tout de suite. Se remettre entre les bras du hasard.

Elle rit encore, le front appuyé contre la vitre.

Ne rien se promettre et tout risquer.

Elle est en apesanteur.

Quelques jours plus tard, la louve d'Ottawa traverse la rue Rideau à pied pour la première fois depuis des années.

MONTRÉAL, 1925

Personne à Ottawa n'a su que Ti-Lou partait. Un bon matin, on la vit traverser le grand hall du Château Laurier un peu plus tôt que d'habitude. Elle ne semblait pas pressée et avait dit au liftier qu'elle partait en promenade, qu'elle avait besoin de réfléchir et de ne pas l'attendre avant la fin de l'après-midi. Il avait cru à un rendez-vous galant – ceux qui se passaient à l'extérieur de l'hôtel étaient rares et madame Ti-Lou lui avait un jour expliqué qu'ils étaient très payants parce qu'il fallait que les clients défraient ses déplacements en plus du reste. Elle ne transportait avec elle qu'un petit sac de voyage, chose naturelle pour une femme de sa profession, et personne ne s'en formalisa.

Elle acheta deux énormes sacs de cuir dans une boutique de la rue Elgin, fit le tour des banques où elle louait depuis des années des coffrets de sûreté, les remplit d'argent, prit un taxi, se fit déposer devant la porte du Château Laurier. Après avoir vérifié que personne ne la surveillait – il était encore trop tôt pour le défilé des sénateurs et des étrangers de passage et le portier, allez savoir pourquoi, n'était pas à son poste –, elle avait pris ses sacs et traversé la rue Rideau à pied pour se diriger vers la gare, juste en face. La veille, elle aurait refusé de traverser la rue à pied, elle aurait exigé son phaéton et aurait demandé qu'on fasse un grand tour de la gare avant de s'arrêter devant l'entrée. Pour l'esbroufe. Aujourd'hui, tout ça lui semblait enfantin et elle souriait lorsqu'elle a poussé la porte de bronze et de verre.

Le train l'attendait, sa place en première classe était située du côté de la fenêtre comme elle l'avait demandé. Elle s'était assise bien droite et au moment où le train s'était mis en branle, elle avait gobé ce qu'elle se jurait être son dernier Cherry Delight, en tout cas pour un bout de temps. Pas le moindre petit regard sur le Château Laurier, sur le canal Rideau, sur Ottawa qui défilait de chaque côté.

Elle s'était dit qu'en arrivant à Montréal, elle quitterait la gare Windsor en coup de vent et se jetterait dans un taxi pour aller se réfugier au plus vite dans son nouvel appartement du boulevard Saint-Joseph qu'elle appelait déjà son antre. Elle s'y terrerait une longue semaine sans parler à qui que ce soit, une retraite fermée comme elle n'en avait pas connu depuis le couvent, pour fêter la paix retrouvée. Le silence vécu par choix. Seule elle était, seule elle resterait. Et ne sortirait que pour aller se procurer de quoi survivre, de la viande, du poisson, des légumes, des fruits, pas de sucreries, surtout pas de sucreries. Mais beaucoup de thé. Elle commencerait sa nouvelle vie en se débarrassant le plus possible des toxines qui l'empoisonnaient depuis si longtemps. Une cure purificatrice avant de se lancer dans l'inconnu. Ensuite… Ensuite on verrait bien les chemins que la vie lui suggérerait d'emprunter. Elle savait qu'elle ne pourrait pas vivre en solitaire très longtemps, elle refusait de devenir une vieille folle rébarbative et désagréable qui terrorise tout le monde et sentait qu'elle pourrait se faire des relations parce que dans cette ville sans doute plus ouverte, moins coincée qu'Ottawa, personne ne la connaissait et qu'elle ne serait pas précédée d'une réputation peu flatteuse. Elle s'en remettrait alors au hasard. Au hasard des choix quotidiens. Sortir, ne pas sortir. S'habiller, rester en déshabillé. Lire des romans de gare ou Tolstoï, ou bien se consacrer à l'écoute des disques de Beniamino Gigli, la tête collée contre le haut-parleur du gramophone, accompagnant le ténor braillard dans les sanglots de Paillasse ou les adieux de Turridu à sa mère. Une femme libre. Sans téléphone. Le téléphone viendrait plus tard si le besoin s'en faisait sentir. De longs bains dans de l'eau trop chaude, des séances de crèmes aromatiques et d'huiles hydratantes. Pour qui ? Pour elle. Juste pour elle. Elle sentirait bon et sa peau serait douce pour sa seule satisfaction personnelle.

Quand le train s'est arrêté à la gare Windsor, à Montréal, elle était déjà debout derrière la portière, gantée et chapeautée. Ses deux valises pleines à craquer de dollars, de francs français, de lires, de livres sterling, de pesetas, mais pas de roubles, les roubles ne valaient rien depuis la révolution russe, étaient posées à ses pieds comme deux énormes chats mous. Rien d'autre, parce qu'elle allait tout recommencer à neuf : quelques objets de toilette jetés au fond de son sac de voyage, des dessous propres, une robe de nuit. Dès demain matin, elle allait refaire sa garde-robe au complet. Tout ce qu'elle possédait de vêtements et de lingerie était resté dans les penderies et les tiroirs des commodes de la suite du Château Laurier. Pas les bijoux, bien sûr. Les bijoux, et il y en avait beaucoup, c'était son assurance contre la pauvreté si jamais elle arrivait à manquer d'argent quand elle aurait tout dépensé, et elle les avait dissimulés sous les espèces en papier ou en argent sonnant dans le double fond d'une des valises.

En descendant les marches de métal et au moment de poser le pied sur le quai, elle eut une idée qui la fit sourire. Lorsqu'on s'apercevrait de sa disparition, au Château Laurier, est-ce qu'on allait déclencher des recherches, appellerait-on la police, s'inquiéterait-on, seulement? Elle espérait que non. Que la disparition d'une guidoune, aussi populaire fût-elle, ne ferait pas de vagues et que seuls ses clients ressentiraient un petit pincement de regret. Peut-être pas, après tout. Une autre la remplacerait. Dans son lit encore chaud. Dans sa suite hantée par sa présence. Et fleurant à jamais son parfum de gardénia.

Aussitôt qu'elle a mis le pied sur le quai, un jeune porteur s'est présenté à elle.

«Avez-vous ben des bagages, madame?»

Elle lui a montré ses deux petites valises et son sac de voyage.

«Non, mais vous pouvez m'aider pareil.

— Vous voulez un taxi?

— Oui.

— Vous allez loin?

— J'vas le dire au chauffeur…»

Elle l'a suivi jusque dans la salle des pas perdus et s'est trouvée plongée dans une foule excitée et bruyante qui s'agitait autour d'un ange de bronze tenant dans ses bras un soldat mort. Sans doute un hommage aux sacrifiés de la guerre de 1914.

Elle a regardé sa montre. Bientôt l'heure du thé. Elle n'avait pas mangé depuis le matin.

«Y a-tu un restaurant, ici?»

Le jeune homme a pointé le doigt en direction de la sortie.

«Y en a un qui vient d'ouvrir juste à côté de la sortie. C'est cher, mais y paraît que c'est bon. Vous voulez y aller?

— Oui, j'ai faim.

— Mais promettez-moé de me reprendre pour aller au taxi, par exemple.

— Oui, oui. Restez pas loin, j'vas vous faire signe…»

Il s'est assis sur son convoi, entre les deux valises d'argent – s'il avait su ce qu'elles contenaient –, et il a allumé une cigarette.

Avant d'entrer dans le restaurant, Ti-Lou s'est tournée vers lui.

«Vous allez pas partir en courant avec le peu de choses que j'ai, hein?»

Il a soulevé sa casquette, comme pour la saluer.

«Deux petites valises… Vous avez pas l'air de transporter des choses ben ben intéressantes… Si vous aviez six ou sept valises, comme ça arrive souvent, je dis pas…»

Il lui a fait un beau grand sourire pour qu'elle comprenne bien qu'il plaisantait.

«En tout cas, restez dans mon champ de vision.

— Assisez-vous dans la vitrine, madame. J'vas prendre mon quinze minutes de repos pendant que vous mangez.

— Quinze minutes! Vous voulez que je mange vite!

— Excusez-moé. Moé, j'envale tout rond pis je pense que tout le monde est pareil…»

C'était un restaurant qui se voulait parisien, avec des tables et des chaises en osier, décoré à la dernière mode de panneaux de bois et de verre aux couleurs pastel, bleu pâle, vert d'eau, roses, jaunes, où se pavanaient des perroquets, des paons et des nymphes échevelées. Des dames – quelques-unes gantées – prenaient le thé en jasant. Devant les assiettes de scones, de marmelade, de beurre, de pâtisseries de toutes sortes qui couvraient les petites tables rondes, Ti-Lou s'est rendu compte à quel point elle avait faim. Elle s'est assise à une table discrète, au fond, loin de la vitrine pour que le porteur ne pense pas qu'elle le guettait, sans toutefois pouvoir éviter qu'on la remarque. Elle s'est demandé pourquoi – elle n'avait tout de même pas le mot guidoune imprimé sur le front – jusqu'au moment où elle s'est attardée aux vêtements que portaient toutes ces dames plutôt vieillissantes, mais visiblement soucieuses de leur apparence.

Des *flappers.*

Même les plus âgées, celles, courbées ou tremblotantes, qui avaient de la difficulté à porter leur tasse à leurs lèvres, étaient déguisées comme les actrices de cinéma qui avaient lancé cette façon délurée de s'habiller que Ti-Lou détestait tant parce qu'elle ne soulignait ni ne flattait les courbes féminines, qu'elle donnait plutôt aux femmes une allure de garçon manqué : les robes sans forme et à la manche trop courte qui pendaient sur le corps comme des guenilles, les chapeaux cloches qui couvraient toute la tête en donnant un air de boulet de canon, les colliers trop longs et trop nombreux qui tombaient presque sur les genoux, les lèvres exagérément rouges, les yeux charbonneux, les souliers à talons trop hauts, sans doute dangereux. De quoi pouvait-elle avoir l'air, elle, dans sa robe de voyage longuette d'un autre âge, son immense chapeau, sa voilette et son énorme sac à main ? D'une provinciale. Fraîchement débarquée de son bled natal. Sans doute en visite auprès d'un parent malade. Une cousine pauvre qu'on avait convoquée du fin fond de sa campagne soi-disant pour lui rendre service, en fait pour s'en faire une servante qui ne coûte pas cher. La mode n'était donc pas encore parvenue jusqu'à son patelin?

À Ottawa où les femmes la détestaient, elle était cependant la créature la plus chic et la plus admirée des hommes de la ville, un parangon de bon goût et de savoir-faire. Ici…

A-t-elle vu des sourires dissimulés derrière des mains pendant qu'elle se dirigeait vers la table qu'elle avait choisie? Non. Pas d'exagération. Ce n'était pas le temps de verser dans la paranoïa dès son arrivée à Montréal.

Elle regarde de loin le jeune porteur qui allume déjà sa deuxième cigarette.

L'a-t-il prise lui aussi pour une provinciale? Malgré la fortune que lui a coûtée sa nouvelle toilette?

Elle lève la main, fait un signe au serveur qui s'approche, tout sourire.

«Un thé complet, s'il vous plaît. Juste du sucré, pas de sandwiches.

— *Sorry, I don't speak French…*

— Mon Dieu, y en a ici aussi des comme vous?»

Elle commande en anglais, lève les bras, retire les aiguilles qui tiennent son chapeau qu'elle dépose sur la table. Elle ose se montrer en cheveux en public. Par pure bravade. Les autres femmes la regardent sous leurs chapeaux cloches. Faites-en donc autant si vous l'osez, *ladies…*

Le garçon se redresse. Choqué? Sans doute. Mais, elle le sent, admiratif aussi. Elle a beau commencer à souffrir d'embonpoint, elle est encore belle, en a conscience, et sait s'en servir. Ses cheveux, une cascade sans cesse mouvante qu'elle garde depuis quelque temps d'un rouge brique plutôt étonnant, ont toujours rendu les hommes nerveux et elle sait comment les mettre en évidence.

Quelques femmes, plus perspicaces que d'autres, suppose Ti-Lou, lui ont tourné le dos, certaines ostensiblement, d'autres en faisant semblant de rien, pivotant sur leur chaise comme pour ramasser leur serviette ou se tordant le cou pour guetter l'arrivée d'une amie qu'elles n'attendent pas.

Les scones sont tièdes et moelleux, la marmelade pince la langue comme il se doit, la crème est fraîche et un peu surette, et jette là-dessus une petite saveur glacée, satinée. Elle en mangerait quatre, elle en mangerait six. Le thé est d'égale qualité à celui qu'on sert dans les restaurants chics d'Ottawa ; elle en redemande.

Le porteur l'attend toujours. Ti-Lou sourit. Qu'arriverait-il s'il partait en courant avec sa fortune et la laissait toute seule avec une unique robe démodée, un chapeau désormais importable et ce sac à main trop gros ?

L'a-t-elle fait exprès ? De se mettre en danger ? S'est-elle jetée entre les mains du hasard pour voir ? Juste pour voir ? Si quelqu'un part avec ma fortune, mon destin est de revenir d'où je viens, sinon j'ai droit à ma liberté ? Risquer des décennies de dur labeur pour quelque chose qui, en fin de compte, ressemblerait à une espèce de superstition ? Tout risquer pour pouvoir tout recommencer ? Elle secoue la tête. Non. Il avait une bonne tête, elle lui a fait confiance, voilà tout. Elle connaît les hommes. Celui-là sera honnête.

Le jeune homme lui fait justement signe qu'il commence à trouver le temps long en sortant sa montre à gousset de la petite poche de sa veste. Il fait le geste de vouloir partir en courant avec les valises. Il rit. Elle aussi.

33

Elle lui fait signe qu'elle a terminé, paye sa note, retraverse le restaurant sans remettre son chapeau, se contentant de le laisser pendre devant elle comme une jeune fille fatiguée de porter sa capeline parce qu'il fait trop chaud. On murmure, on glousse, on fait claquer sa langue. Elle les provoque, elles réagissent. Un petit jeu qu'elle connaît bien et qu'elle pratique depuis longtemps… Mais elle s'est retirée de tout ça, les provocations, les jalousies, les vengeances, elle devra désormais occuper son temps à autre chose. Elle sent l'ombre d'un regret. Plonger dans l'obscurité, se faire oublier quand on a été toute sa vie le centre d'attraction, ce n'est sans doute pas facile. Ça va demander un apprentissage. Peut-être long. Elle soupire et se retourne avant de quitter le restaurant. Sont-ce là ses dernières victimes? Des douairières insignifiantes qui attendent un train ou une connaissance qui arrive de loin. Pas une seule femme de ministre. Pas une seule épouse de sénateur. Et, derrière elles, l'absence de son père, celui qu'elle a toujours visé, à qui elle voulait faire honte, sa secrète proie, l'homme à abattre.

« J'ai eu le temps de fumer quatre cigarettes! Pis je les ai pas allumées une après l'autre! »

Elle passe devant lui, se dirige à toute vitesse vers la sortie.

« Quand vous allez voir le tip, vous le regretterez pas… »

Il enlève sa casquette, s'essuie le front avant de s'emparer des valises.

« C'est ben ça que j'espérais… Là, vous parlez. »

PREMIER HASARD

Hôtel Windsor

La rue Peel et la rue de La Gauchetière sont encombrées de voitures, il n'y a plus d'odeur de crottin de cheval dans l'air, l'automobile a dû prendre le dessus depuis la dernière visite de Ti-Lou à Montréal. Des taxis sont stationnés devant la grande porte. Le portier de la gare veut s'emparer des valises, son sifflet a déjà retenti pour attirer l'attention d'un chauffeur. Ti-Lou lui pose la main sur le bras pour l'arrêter.

« Attendez. »

Quelque chose ne va pas. Elle ne sait pas quoi, mais un léger vertige fait tout tournoyer autour d'elle, tout à coup.

« Vous voulez pas de taxi, madame ? »

Elle regarde la foule, la circulation, les lumières, elle y sent une étrange pulsation, comme si un énorme cœur pompait tout ça, humains et machines, un trop-plein de sang dans un corps trop gros. Elle pense bien sûr à son propre corps, à sa maladie, au sucre qu'elle vient d'ingurgiter et qui fait monter sa pression. Une illusion. Sans doute une simple montée de sucre.

Mais tout de même…

Une menace ? Non. Une inquiétude. C'est ça. Une vague mais insistante inquiétude. Elle essaie de s'imaginer arrivant à son nouvel appartement alors que la nuit serait tombée – le soleil est déjà bas –, l'étrangeté d'un lieu inconnu, un grand appartement après avoir vécu si longtemps dans une suite d'hôtel, toutes ces portes qui donnent sur des pièces vides, toutes ces fenêtres situées au niveau de la rue alors qu'elle vit depuis si longtemps dans les hauteurs…

Elle se tourne vers le jeune porteur.

« Si je vous demandais de venir me reconduire à l'hôtel Windsor, à côté, auriez-vous le droit ? »

Il fronce les sourcils, se gratte la tête.

« J'pense que oui. J'pense qu'on a une entente avec l'hôtel Windsor parce qu'on peut pas demander aux clients de porter leurs valises jusque-là même si c'est pas loin, ni de prendre un taxi, ça serait ridicule… Mais vous m'aviez dit que vous vouliez un taxi, justement…

— J'ai changé d'idée.

— Mais vous avez sûrement pas de réservation.

— Ça m'inquiète pas, y a toujours des suites de libres…

— Vous avez les moyens de vous payer une suite ?

— Une nuit. J'ai les moyens de me payer une suite pour une nuit. »

Il la regarde d'un autre œil. S'est-elle trompée à son sujet ? Devine-t-elle tout à coup le prédateur dissimulé sous la maladresse de l'adolescence ? S'il avait su ce que contenaient les valises, en fin de compte…

En traversant la rue de La Gauchetière vers le nord, elle se surprend à frissonner. Et si elle n'était pas prête ? Pour la retraite ? Pour la liberté ? Pour un appartement anonyme sur un boulevard très beau, oui, mais habité par des professionnels, gens guindés et souvent sans intérêt, et peut-être d'un ennui mortel ? De belles maisons, un beau terre-plein, de beaux arbres qui vont bientôt bourgeonner, et rien d'autre… Est-elle prête pour l'ennui mortel de la vie d'une dame riche retirée dans l'anonymat? Est-elle seulement prête pour l'anonymat?

À la porte de l'Hôtel Windsor, elle sort un dollar de son sac, le tend au jeune porteur qui n'en revient pas.

«Vous me donnez toute une grande piasse au grand complet?»

Ti-Lou sourit.

«Vous la méritez plus que vous le pensez, croyez-moi.»

Elle se penche pour ramasser ses valises, mais le portier a déjà descendu les quelques marches pour s'en emparer.

«Madame attend son mari? Ou le mari de madame est déjà là?»

Ti-Lou passe devant lui en haussant les épaules.

«Madame attend personne. Madame est juste fatiguée. Mais, au moins, vous parlez français, c'est mieux que rien.»

Le porteur de la gare Windsor s'éloigne en caressant son dollar au fond de sa poche. Combien de paquets de cigarettes ou de verres de bière tout ça représente-t-il?

Une femme seule et sans réservation qui se présente à la réception d'un grand hôtel, ce n'est pas évident. Ti-Lou le sait, mais ce soir elle est trop épuisée pour subir les questionnements insidieux et les regards dubitatifs, aussi pose-t-elle une série de billets de banque sur le comptoir aussitôt arrivée à la réception.

«Madame veuve Georges Desrosiers, j'arrive d'Ottawa, j'ai pas de réservation, chus fatiquée, je veux une suite, une belle, je repars demain matin pour Québec par le premier train, pis je paye comptant.»

Quelques minutes plus tard, elle est introduite dans ce que l'homme de la réception a appelé la Suite Royale en pensant que le prix affolerait la drôle de dame qu'il avait devant lui. (Veuve, elle ne l'était certainement pas avec les couleurs qu'elle portait, à moins que son veuvage ne soit pas récent. Et les cheveux rouges, à son avis, annonçaient plus la fille publique que la femme respectable.) À sa grande surprise, elle n'a pas bronché et s'est contentée de demander où se trouvait l'ascenseur. Il lui a tendu la clef et a empoché une partie de l'argent avant de mettre le reste – le vrai prix de la suite – dans la caisse.

En jetant son chapeau sur le grand lit, Ti-Lou se dit que pour être royal, ça l'est. En toute autre circonstance, elle éclaterait de rire devant la prétention des lieux : de l'or partout, du tapis au plafond, des meubles lourds, encombrants, un lit à baldaquin massif, des tableaux accrochés trop haut, d'une grande laideur. Pour une putain royale, peut-être, pas pour un roi…

Elle n'a pas dormi ailleurs qu'au Château Laurier depuis longtemps, elle a peur de souffrir d'insomnie. De toute façon il est trop tôt pour se coucher. Elle s'assoit entre ses deux valises et son sac de voyage sur le couvre-lit en brocart doré. Et se met à rire parce que la seule occupation à laquelle elle pourrait s'adonner, en ce moment, serait de compter son argent.

Au fait, combien a-t-elle ? Autant qu'elle l'imagine ? Moins qu'elle n'en rêve ?

Elle se relève, va poser les valises dans le placard.

Elle est debout près de la porte de la suite royale, elle ne sait pas où aller, à gauche, à droite, ouvrir la porte, se sauver en courant, prendre un long bain avant de passer au lit, redescendre dans le hall de l'hôtel à la recherche de bonbons qui pourraient remplacer les Cherry Delights qui lui manquent déjà… Elle aurait dû au moins en emporter une boîte au lieu de prendre la décision absurde de s'en passer aussitôt arrivée à Montréal. Commencer son sevrage le lendemain. Au moins elle aurait une consolation. Et Dieu sait qu'elle aurait besoin d'une consolation, là, tout de suite…

Pas de panique. Tout va bien aller. Passer à travers cette première nuit, profiter du confort des lieux, aussi ridicule soit-il, rentrer tranquillement chez elle demain matin, en pleine clarté, de préférence sous le soleil, s'installer… S'installer? Elle n'a rien à installer. Elle n'a pas de vêtements, l'appartement est meublé. Elle secoue la tête, s'appuie contre la porte du placard.

Elle regarde sa montre. À Ottawa, elle serait en train de se préparer pour son premier client. Non. Ne pas penser à ça…

Elle traverse la suite à toute vitesse, va ouvrir les draperies d'une des fenêtres qui donnent sur la rue Peel.

Juste en face de l'hôtel se trouve un parc. Le square Dominion. Elle le sait parce qu'elle a déjà habité l'hôtel Windsor, il y a longtemps, en compagnie d'un quelconque homme politique dont elle a oublié le nom et surtout les prouesses sexuelles. Le square Dominion est presque vide. C'est l'heure du souper, les restaurants du centre-ville sont sans doute pleins à craquer, personne ne penserait à se promener. Un couple visiblement en retard à un rendez-vous le traverse à la diagonale, quelques hommes fument le cigare après un repas pris de bonne heure, un promeneur solitaire suit son chien.

Il est trop tôt pour se mettre au lit, elle n'a rien à lire, elle voit avec appréhension les heures à venir, la soirée passée à se tourner les pouces ou à marcher de long en large dans la Suite Royale. Pas de bagages à défaire. Elle pourrait prendre un grand bain. C'est sûrement ce qu'elle va faire, par pur désœuvrement. Se laisser tremper jusqu'à ce que sa peau commence à se plisser, sans toutefois se servir du savon fourni par l'hôtel, toujours trop cheap pour son épiderme sensible. Même dans une Suite Royale ? Peut-être pas, après tout.

Elle aurait dû sauter dans un taxi, se rendre chez elle, elle aurait peut-être trouvé quelque chose à faire, un plancher à laver, elle qui n'a pas lavé un seul plancher de toute sa vie, des bibelots à épousseter, un éclairage flatteur à organiser, n'importe quoi plutôt que de rester inactive.

Un début d'angoisse lui pince le bout du cœur.

Est-ce là, ce qu'elle vit en ce moment, cette inquiétude, cette détresse, ce dont sera fait sa vie désormais ? Du moins au début ? Se demander ce qu'elle va faire ? De sa journée, de sa soirée ? Maintenant que ses nuits ne seront plus occupées, va-t-elle se retourner dans son lit heure après heure, épuisée d'insomnie, écrasée par la solitude ? C'est ça la liberté qu'elle a choisie sur un coup de tête ?

Pour s'empêcher de réfléchir plus avant et de sombrer dans le découragement, elle prend son chapeau qu'elle avait posé sur le lit, son sac à main, ses gants et se précipite à l'extérieur de la suite presque en courant.

Manger pour s'occuper. Encore une fois. Même si elle vient à peine de quitter la table.

En sortant de l'ascenseur, au rez-de-chaussée, elle se jette sur le premier groom qu'elle croise.

«Pouvez-vous m'indiquer un bon restaurant dans le quartier?»

Le jeune homme la détaille des pieds à la tête, ayant l'air de se demander qui est cette femme pressée qui veut aller manger seule dans un restaurant.

«On a une excellente table ici, à l'hôtel, madame… Une belle grande salle à manger…

— Non, non, je veux sortir. Sur la rue Sainte-Catherine, peut-être?

— Oui, y en a plein. Mais y en a un ben bon juste de l'autre côté du carré Dominion, sur la rue Metcalfe, au coin de Dorchester. Ça s'appelle Two Pounds. C'est une place pour manger du steak, si vous avez ben faim…

— Merci, vous êtes ben gentil…»

Elle lui met un vingt-cinq cents dans la main et se précipite vers la porte de l'hôtel. Le portier la salue en soulevant sa casquette.

«Bonne soirée, madame. Vous avez besoin d'un taxi?

— Non, merci. Mais le Two Pounds, c'est bien au coin de la rue, là-bas, de l'autre côté du parc?

— Oui, mais si j'étais vous, je contournerais le carré Dominion.

— Pourquoi? C'est dangereux?

— Non, mais une belle femme comme vous, toute seule dans un parc…»

Elle hausse les épaules, elle esquisse même un petit sourire en coin.

«Êtes-vous en train de me dire qu'y a des guidounes qui se promènent dans le square Dominion?

— Non, mais y a pas de femmes tu-seules non plus… Descendez Peel, traversez le parc en longeant la rue Dorchester, vous allez trouver le Two Pounds facilement…»

Un autre vingt-cinq cents, un autre soulèvement de casquette.

Mais Ti-Lou ne suit pas le conseil du portier. Elle traverse la rue Peel juste en face de l'hôtel et s'engage dans la petite allée qui coupe le square Dominion en diagonale en contournant un monument dont elle ne voit pas bien les détails. Un autre ange de bronze avec des soldats? A-t-elle vraiment envie d'aller se taper un énorme steak dans un restaurant bruyant où elle sera la seule femme non accompagnée et le point de mire des regards critiques et des remarques désobligeantes des autres clients? Alors qu'elle n'a même pas faim? Bien sûr que non. Elle décide de se promener un peu, un petit quart d'heure, le temps de laisser son cœur reprendre son allure normale et son début d'angoisse s'apaiser. Elle fera le tour du parc deux ou trois fois puis rentrera à l'hôtel.

L'humidité du soir lui fait du bien. Elle prend de grandes respirations par le nez, elle sait que ça va la calmer. En effet, son cœur ralentit, sa nervosité s'évapore peu à peu, elle commence à entrevoir la nuit qui vient et son introduction dans son nouvel appartement, le lendemain, sans trop d'inquiétude.

Elle a fait deux fois le tour du square Dominion, elle presse le pas parce qu'il a commencé à pleuvioter, lorsqu'elle revoit le promeneur précédé de son chien qu'elle a aperçu du haut de sa fenêtre. Le molosse, un énorme animal tout en nerfs et en muscles, sans doute satisfait des odeurs qu'il a glanées ici et là et surtout des cadeaux qu'il a laissés un peu partout dans le parc, au pied des arbres ou au milieu des gazons, branle la queue en la voyant venir.

Ti-Lou espère que son maître saura le retenir, que la bête ne viendra pas la renifler de trop près, elle déteste ces familiarités d'animaux mal dressés.

Va-t-elle tout de même faire un compliment à son maître ? Après tout c'est un magnifique spécimen.

Elle va se pencher, elle va tendre la main, peut-être même entamer une conversation avec l'homme, un échange insignifiant entre deux personnes qui se croisent par hasard dans un parc et qui n'ont rien de significatif à se dire, sauf échanger des compliments plus ou moins sentis, mais elle n'en a pas le temps. Le promeneur s'interpose entre l'animal et elle avec une rapidité confondante, elle devine à peine un mouvement devant ses yeux, une main qui passe devant son visage en tenant une chose brillante sous les réverbères au gaz, puis elle ressent comme une impression de froid dans son cou. Elle lève sa main gantée, la porte à sa gorge, la retire. Du liquide. Du sang. Plein de sang. Elle ouvre la bouche, veut crier, mais tout ce qui sort, c'est un flot de liquide rouge rendu presque noir par l'absence de lumière. Elle n'arrive plus à respirer non plus.

Elle tombe à genoux en tendant les bras vers le chien qui commence à aboyer furieusement.

L'homme se penche vers elle, comme elle-même allait le faire avec le chien au moment où il allait l'attaquer.

« Excusez-moé, madame, j'peux pas m'en empêcher. »

Ti-Lou a le temps de se rendre compte qu'il est très beau avant de s'écrouler sur le dos, les deux mains serrées contre sa gorge.

Venir de si loin pour finir de façon si pitoyable.

Les aboiements s'éloignent, la pluie lui brouille la vue.

Elle ferme les yeux et n'a qu'une pensée avant de mourir :

« C'est ça, mourir ? C'est rien que ça ? Ça fait pas plus mal que ça ? »

Le lendemain, tous les journaux de Montréal portent la même nouvelle en première page : LE MANIAQUE AU RASOIR FRAPPE ENCORE !

Il y est fait mention de l'assassinat, la veille, d'une prostituée d'Ottawa qui avait loué la Suite Royale de l'hôtel Windsor en début de soirée sous le nom de madame veuve Georges Desrosiers, mais dont la véritable identité s'était avérée être Louise Wilson, alias Louise Desrosiers, connue aussi dans la capitale fédérale sous le nom de Ti-Lou, la louve d'Ottawa. Tout un programme.

C'était la cinquième victime de l'homme qu'on avait surnommé le maniaque au rasoir et qui s'attaquait depuis quelques mois aux femmes qui osaient se promener seules au centre-ville.

Le portier de l'hôtel et un groom ont raconté qu'elle se rendait à un restaurant situé de l'autre côté du square Dominion. Le groom avait été victime d'un choc nerveux parce qu'il était celui qui avait conseillé à la femme de se rendre à ce restaurant. Pour sa part, le portier avait prétendu avoir prévenu la cliente, de lui avoir même conseillé de ne pas traverser le square Dominion, de plutôt le contourner.

Dans *La Presse* – un journaliste débrouillard avait fait ses devoirs –, on prétendait aussi que la victime pourrait être la fille d'un homme très influent d'Ottawa, peut-être même un sénateur.

Affaire à suivre…

L'enquête pour attraper l'assassin suivait son cours.

Il n'était fait mention nulle part, cependant, des deux valises d'argent que Ti-Lou avait laissées dans le placard de la Suite Royale de l'hôtel Windsor. On n'en a jamais plus entendu parler.

SECOND HASARD

Paradise

En sortant de l'ascenseur, au rez-de-chaussée, elle se jette sur le premier groom qu'elle croise.

« Excusez-moi, mais Dorchester pis Saint-Laurent, c'est-tu loin ? »

Le jeune homme la détaille des pieds à la tête, ayant l'air de se demander qui est cette femme chic si pressée d'aller s'encanailler sur la *Main* si tôt dans la soirée.

« Pas plus que cinq minutes en taxi, madame…

— Donc, ça se fait à pied…

— Oui, mais… »

Elle lui met une pièce de vingt-cinq cents dans la main et se précipite vers la porte de l'hôtel.

« On a un beau bar, ici, madame, ben chic…

— J'm'en vas pas boire. »

Le portier la salue en soulevant sa casquette.

« Bonne soirée, madame. Vous avez besoin d'un taxi ?

— J'sais pas trop… J'm'en vas au coin de Dorchester et Saint-Laurent, pis j'pense que c'est pas ben loin…

— Vous êtes mieux de prendre un taxi.

— Pourquoi, c'est dangereux ?

— Disons que le chemin pour se rendre là est pas *safe, safe*… Si vous cherchez un endroit pour prendre un drink, on a…

49

— Je le sais que vous avez un bar ben chic. C'est pas un bar chic que je cherche. J'm'en vas visiter une cousine qui travaille au Paradise… »

Il soulève une deuxième fois sa casquette, se gratte la tête.

« Le Paradise. Ça existe encore, ça?

— Pourquoi vous dites ça? C'est fermé?

— Ben, je le sais pas, mais aux dernières nouvelles que j'ai eues, ça allait pas fort, fort…

— Appelez-moi un taxi, d'abord. Si je vois que c'est fermé, je reviendrai… »

Après avoir soufflé dans son sifflet pour faire bouger un des taxis qui attendaient à quelques dizaines de pieds de là, il descend les marches pour venir rejoindre Ti-Lou sur le trottoir.

« La rue Saint-Laurent est en train de changer, vous savez… Le Paradise est pus tu-seul, y a plusieurs cabarets qui ont ouvert. Le plus beau, pis c'est là que vous devriez aller, c'est le Faisan Doré… Chus pas encore allé, mais y paraît que c'est très bien… Y a des grosses vedettes qui se produisent là…

— 'Coudonc, vous, êtes-vous payé pour envoyer des clients au Faisan Doré? Êtes-vous sur leur *payroll*? J'vous ai dit que j'allais visiter une parente qui travaille au Paradise. »

Elle avait commencé à se pencher pour s'engouffrer dans la voiture dont le portier gardait la porte ouverte pour elle. Elle se redresse.

« Vous me croyez pas? Vous pensez que chus une vieille ivrogne qui se cherche un trou pour boire? »

Il soulève sa casquette une dernière fois.

« Je pensais certainement pas que vous étiez vieille, madame… »

Elle sourit, sort une pièce de cinquante cents de son sac.

« Au moins, vous êtes diplomate… »

En s'installant sur la banquette arrière de la voiture, elle aperçoit le promeneur qu'elle a vu du haut de sa fenêtre, plus tôt, qui suit toujours son chien dans le square Dominion. Il tourne la tête dans sa direction. Un bel homme, mais comme aurait dit sa mère, elle n'aurait pas voulu le rencontrer dans un coin sombre… Quelque chose dans le très court regard qu'il jette sur elle la fait frissonner.

Le chien jappe.

On dirait qu'il l'appelle.

Le chauffeur de taxi semble déçu de la courte distance qu'ils ont à parcourir et se faufile en maugréant dans la circulation presque inexistante à cette heure.

Le Paradise n'est pas du tout ce à quoi s'attendait Ti-Lou. C'est un édifice décrépit, sale, la vitrine annonçant la chanteuse de la semaine a été défoncée et le trottoir est jonché de bouts de cigarettes et de taches suspectes. Elle ne s'attendait pas à un palace, mais tout de même…

Après avoir empoché le prix de la course, le chauffeur passe la tête par la fenêtre ouverte de sa voiture.

« Vous êtes sûre que c'est là que vous voulez aller ? »

Ti-Lou hésite un moment avant de lui répondre.

« Savez-vous, je le sais pus trop, là… Y a-tu un autre Paradise sur la rue Saint-Laurent ?

— Non, c'est le seul.

— Ben, c'est là.

— Faites attention à vous.

— C'est dangereux ?

— Non. Mais c'est devenu un trou depuis que les clients qui ont de l'argent sont partis ailleurs… Y reste juste ceux que les autres places veulent pas. Vous êtes sûre que vous voulez pas que je vous ramène à l'hôtel?

— Oui, oui… J'vas m'arranger. J'sais me défendre…»

Elle pousse la porte du Paradise pendant que le taxi repart.

Une odeur de vieille bière, de mauvais alcool, de sueur et de sciure de bois lui monte aussitôt au nez. Un piano joue trop fort pendant qu'une chanteuse assassine une chanson de café-concert que personne n'écoute. Ti-Lou croit comprendre qu'il y est question d'une prostituée nommée Nini-peau-de-chien qui travaille à la Bastille… C'est une chanson à répondre. Pas de réponse.

Peu de clients. C'est vrai qu'il est encore tôt. La chanteuse doit en être à son premier tour de chant de la soirée.

C'est donc ici que travaille sa cousine Maria, la seule amie qu'elle ait eue dans toute sa vie, presque sa sœur puisque les parents de cette dernière l'avaient quasiment adoptée, là-bas, en Saskatchewan, il y a plus de trente ans.

Deux serveuses se promènent à travers les tables à la recherche de commandes qui semblent se faire rares et Ti-Lou a de la difficulté à reconnaître Maria tant elle a changé depuis la dernière fois qu'elle l'a vue, au mariage de sa fille Rhéauna.

Elle s'assoit à une table retirée pour l'observer avant de l'aborder. Maria est toujours belle femme, son costume de serveuse est propre, ses cheveux bien placés, mais quelque chose dans son maintien, une hésitation dans ses déplacements, une nouvelle voussure du dos suggèrent une femme moins énergique que la dynamo qui, trois ans plus tôt, avait organisé à elle seule la noce la plus folle et la plus enfiévrée que son quartier avait jamais connue.

Ti-Lou attend que Maria passe près d'elle pour lui dire, sur un ton un peu trop enjoué :

« On offre pas un petit drink à sa cousine ? »

Maria met quelques secondes à reconnaître Ti-Lou, comme si elle était incapable d'imaginer la trouver là, dans un cabaret de Montréal, alors qu'elle devrait être en train de gagner sa vie à Ottawa.

Les retrouvailles sont sonores, mouillées, toutes les têtes se tournent vers ces deux folles qui crient et qui pleurent. Maria court au bar chercher une flûte de mousseux pour Ti-Lou – le vrai champagne serait trop dispendieux pour la clientèle – et demander à son patron une petite demi-heure de pause pour renouer avec sa cousine qui vient la visiter de loin.

Charlotte, l'autre serveuse, accepte de la remplacer à ses tables. De toute façon il y a si peu de monde dans l'établissement qu'une seule serveuse suffirait à la tâche…

Qu'est-ce que tu fais à Montréal, t'es pas sérieuse, t'as pas pris ta retraite, es-tu sûre de vouloir t'installer ici, tu vas pas t'ennuyer tu-seule dans une ville que tu connais pas, où c'est que tu vas rester, vas-tu te chercher une job, le premier quart d'heure se passe en questions échevelées de Maria qui veut tout savoir trop vite et en réponses concises et claires de Ti-Lou.

« Mais pourquoi t'enterrer sur le boulevard Saint-Joseph ? Tu vas périr d'ennui ! »

C'est la seule question à laquelle Ti-Lou ne trouve pas de réponse parce qu'elle ne le sait pas.

« La paix, peut-être. La tranquillité. Les arbres. Je sais pas. Je sais pas. Des fois je rêve de regarder la neige tomber par ma fenêtre pendant des heures en mangeant du chocolat, pis d'autres fois je me demande comment vous faites pour endurer ça pendant des mois pis des mois… J'pourrais pas faire ça à Ottawa, je pourrais pas m'enterrer, comme tu dis, y a trop de monde qui me connaissent, j'aurais jamais la paix… ça fait que j'ai été obligée de partir. Chus fatiquée, Maria, je vieillis, pis j'aime mieux laisser mon métier avant qu'y me laisse… »

Maria pose une main sur le bras de sa cousine.

« Ça explique pas le boulevard Saint-Joseph. »

Elles rient.

Ti-Lou prend une dernière gorgée de mousseux tiédi.

« Toi aussi, t'as l'air fatiquée… »

Maria se redresse sur sa chaise, replace ses cheveux qui n'ont pourtant pas bougé, tousse dans son poing.

« Ça paraît tant que ça?

— On dirait que t'es plus… lente qu'avant. T'étais tellement pleine d'énergie la dernière fois que je t'ai vue…

— La dernière fois que tu m'as vue, j'étais survoltée parce que je mariais ma fille, c'tait pas mon état naturel! Mais j'pense que chus plus tannée que fatiquée, Ti-Lou. Moi aussi je vieillis. J'travaille ici depuis douze ans, toujours les mêmes têtes, toujours la même bière, la même boisson. Le bran de scie sur le plancher, les crachoirs qu'y faut changer de place, les niaiseries des clients… Ça m'a sauvée quand chus t'arrivée à Montréal, mais c'est en train de me tuer.

— Va-t'en. Va travailler ailleurs.

— Où ça? J'approche la cinquantaine, moi aussi, où c'est que tu veux que je trouve du travail? C'est tout ce que je sais faire, ça, vendre de la boisson à des soûlons! Non, c'est pas vrai. J'ai travaillé dans une factrie de coton pendant des années, en Nouvelle-Angleterre… Me vois-tu retourner travailler dans une manufacture à mon âge? De toute façon, le Faisan Doré est en train de nous rentrer dedans pis j'aurai peut-être pus de job dans pas longtemps… Pis c'est certainement pas eux autres qui vont m'engager, hein? Même si chus bonne.

— T'as toujours pas marié ton monsieur Rambert…

— Non. Mon monsieur Rambert attend toujours. Si y veut attendre, c'est son problème…

— Maudite tête de cochon!

— C'est plus de l'orgueil, Ti-Lou. J'me sus débrouillée tu-seule jusqu'ici, j'vas me débrouiller tu-seule jusqu'à la fin… Monsieur Rambert est un homme formidable, mais y sera jamais mon mari. Y le sait, pis y l'accepte. J'me débrouille.

— T'as dit que c'était en train de te tuer.

— C'tait une façon de parler. Tu sais ben que chus pas tuable. »

Quelques tables se sont remplies depuis qu'elles ont commencé à parler. Maria se lève à moitié de sa chaise.

« Va falloir que j'y retourne… Tu peux rester, si tu veux. La chanteuse est ben mauvaise, mais ça passe le temps de l'écouter. En tout cas, laisse-moi te dire que t'as trouvé une drôle de façon de passer ta première soirée à Montréal.

— J'voulais te voir.

— T'aurais pu attendre à demain.

— Non, Maria. J'étais paniquée, pis t'es la seule personne que je connais, ici…

— Reste, d'abord. J'viendrai jaser de temps en temps… T'es moins paniquée, là, ça va mieux?

— Oui. Un peu. »

Ti-Lou retient Maria par la manche de sa blouse blanche à rayures noires.

Elle ne veut pas rester seule, il faut qu'elle trouve une question.

« Pis Nana, comment a' va ? »

Maria jette un regard en direction du bar où le patron semble s'impatienter. Il la regarde avec de gros yeux, lui montre l'horloge au-dessus de la porte d'entrée.

« A' va ben. Sont pas riches, mais y se débrouillent comme y peuvent. Nana a eu un petit gars l'année passée, ça fait qu'a'l' a été obligée d'arrêter de travailler… Mais on reparlera de tout ça plus tard…

— En attendant, apporte-moi donc le reste de la bouteille. J'ai le goût de boire, à soir.

— Tu sais que c'est pas du vrai pis que tu vas avoir un maudit mal de bloc en te réveillant demain matin, hein ?

— J'ai bu pire que ça.

— J'en doute. »

Elle s'éloigne en faisant signe au patron qu'elle arrive, puis semble changer d'avis et revient vers la table de Ti-Lou.

« Fais attention quand tu vas retourner à l'hôtel. Fais-moi signe avant de partir, j'vas t'appeler un taxi. Y a un fou qui tue des femmes dans le centreville depuis quequ'temps. Tout le monde l'appelle le maniaque au rasoir… Y en a d'autres qui l'appellent le barbier parce qu'y tue avec un rasoir à lame. Y faudrait pas qu'y t'arrive quequ'chose le soir de ton arrivée ! Venir de si loin pour se faire attaquer le premier soir, franchement, ça serait niaiseux. »

Une table derrière elle réclame une serveuse. Elle se dirige droit sur les six braillards qui l'occupent.

Ils l'accueillent avec des cris de joie et des compliments sans doute graveleux parce que Maria distribue quelques claques bien placées. De toute évidence des clients réguliers qui connaissent d'avance ses réactions à leurs niaiseries et qui s'en amusent.

Ils l'appellent ma tante.

Ti-Lou la voit rougir.

Elle attend sa bouteille de faux champagne en écoutant la chanteuse d'une oreille distraire.

Elle a envie de boire. Ce qui, pourtant, ne lui arrive pas souvent. Elle aimerait arriver à geler ses inquiétudes, ses doutes, laisser les vapeurs d'alcool lui monter au cerveau et éteindre une à une les questions embarrassantes qui l'assaillent. Se convaincre au milieu d'une bienfaisante brume qu'elle a fait le bon choix, qu'elle sera heureuse, demain matin, de retrouver l'appartement du boulevard Saint-Joseph et de s'y installer en prenant le temps qu'il faudra pour acheter les meubles qui manquent, changer les affreux rideaux du salon et de la cuisine et, qui sait, tout repeindre. Pour enjoliver. Pour éclairer. Pour alléger l'atmosphère étouffante d'un logis laissé vacant par une personne morte «des suites d'une longue maladie», comme l'avait dit le propriétaire. Une diabétique qui remplace un homme décédé du cancer. Ironie du sort.

Une longue maladie.

Elle pense au sucre qui circule dans ses veines, au poison qui la tue à petit feu, au danger de crise cardiaque, à la gangrène et à la cécité qui pourraient à terme la menacer...

Non, ne pas penser à tout ça.

Pourquoi ne pas profiter de ce moment de paix, malgré le bruit dans lequel elle se trouve plongée, plutôt que de s'inquiéter de ce qui va arriver demain, dans une demi-heure? La chanteuse est atroce, elle pourrait s'en amuser, le cabaret est rempli d'échantillons d'humanité qu'elle n'a croisés que rarement dans sa vie, elle pourrait s'y intéresser, les épier, les écouter crier, rire, éructer. Rester dans son coin, se faire la plus discrète possible pour que personne ne vienne la déranger. Le risque qu'on l'aborde est minime, d'ailleurs, elle a bien vu en parlant avec Maria que plusieurs tables étaient occupées par des femmes seules, des femmes qui voulaient *rester* seules et qui le faisaient savoir à leur air rebelle de sérieuses buveuses qui n'étaient surtout pas là pour fraterniser avec qui que ce soit. Comme elle.

Elle a fermé les yeux quelques secondes. Ou quelques minutes.

Le bruit d'une bouteille qu'on dépose sur la table.

« Bonne chance avec le mal de tête. »

Maria s'éloigne en riant.

« Lis l'étiquette, tu vas rire. »

Ti-Lou prend la bouteille.

C'est du « champale Mouette et Chardon ».

Elle éclate de rire, s'en verse une pleine flûte.

Sa première cuite au champale. On verra bien ce que ça va donner.

Elle n'avait pas remarqué, occupée qu'elle était à refaire connaissance avec sa cousine, le goût acidulé qui râpe la langue et brûle la gorge, le petit côté ferreux de ce faux alcool. Elle se demande où ça a pu être fabriqué. En tout cas, certainement pas en France. Peut-être ici, dans la province de Québec, dans une cabane à sucre, l'hiver, en attendant que la sève monte dans les érables, au printemps. Un alcool frelaté distillé dans les mêmes barriques qui serviraient, quelques mois plus tard, à contenir le sirop d'érable…

En tout cas, pour soûler, ça soûle. Après avoir sifflé la quatrième flûte en moins de dix minutes, elle ressent une chaleur apaisante qui irradie de son cerveau à son plexus solaire. L'établissement commence à tourner autour d'elle. C'est plutôt agréable. Pour le moment. Elle ne sera peut-être plus du même avis quand elle se retrouvera à genoux dans la salle de bains de sa suite de l'hôtel Windsor, plus tard, mais en attendant ça gèle, elle a l'impression de flotter et elle trouve un certain charme à être enfermée ici, dans cet endroit tout nouveau pour elle, le genre d'endroit où elle aurait très bien pu aboutir si elle avait eu moins de chance au début de sa carrière. Ou moins de talent. De talents, plutôt. Au pluriel.

Elle rit, se verse une autre flûte.

La grande Ti-Lou, la plus belle guidoune d'Ottawa, la mieux payée, qui s'encanaille dans un trou de la *Main*, à Montréal. Au champale! Qui l'eût cru?

La déchéance?

Non.

Elle a choisi d'être ici.

Elle peut quitter cet établissement n'importe quand et ne jamais y revenir. Elle n'y est pas prisonnière.

Une autre flûte de Mouette et Chardon. Elle rit. Fabriquent-ils aussi de la Veuve Coquelicot?

La bouteille est presque vide. Elle a calé en moins d'une demi-heure l'équivalent de ce qu'elle boit d'habitude en une soirée. Elle se laisse bercer, prend de longues respirations. Si elle ouvre les yeux, elle sait que tout va se mettre à tourner, un lent carrousel dont elle chevaucherait un des chevaux à son corps défendant parce qu'elle a facilement le vertige, alors elle les garde fermés. La nausée, les brûlures d'estomac, tout ça viendra plus tard. Dans la suite de l'hôtel Windsor. En attendant...

Elle est sur le point de trouver du talent à la chanteuse lorsqu'elle entend son nom. Prononcé par un homme.

Elle ouvre les yeux. Il est à contre-jour parce qu'il s'est placé entre la scène et sa table. Elle ne voit pas qui ça peut être. Même si elle sait qu'elle connaît cette voix, ce gabarit…

Il répète :

« Qu'est-ce que vous faites ici, madame Ti-Lou ? »

Elle fait un grand sourire, ouvre les bras.

« Sénateur Morin ! »

Elle porte aussitôt les mains à sa bouche.

« Excusez-moi. J'ai parlé trop fort. Vous voulez peut-être pas que ça se sache que vous êtes ici… Un sénateur d'Ottawa. Au fait, qu'est-ce que vous faites ici, vous aussi ? »

Il s'assoit, se penche vers elle, regarde la bouteille de champale.

« Vous allez vous tuer avec ça…

— Peut-être ben. Mais en attendant, l'effet est formidable ! Formidable ! »

Elle sent qu'elle ne maîtrise plus sa voix ni ses gestes et s'excuse en essayant de parler le moins fort possible.

« J'vous ai jamais vue dans c't'état-là, madame Ti-Lou. Êtes-vous sûre d'être correcte ?

— Non, chus pas sûre d'être correcte pis chus sûre que je le serai pas quand j'vas retourner dans ma sweet au Windsor.

— Excusez-moi de me répéter encore une fois, mais qu'est-ce que vous faites dans un trou pareil ? J'vous répondrai après, moi. »

Elle lui déballe tout, sa décision de prendre sa retraite, son départ précipité d'Ottawa, sa panique

devant l'appartement vide et sombre qui l'attend, l'hôtel Windsor pour une nuit, pour la transition, un dernier flamboiement d'opulence et de luxe avant de se
terrer dans son trou, puis, enfin, sa cousine Maria, la
seule personne qu'elle connaît vraiment à Montréal et
qui travaille ici, au Paradise. Et la bouteille de Mouette
et Chardon. Elle est volubile à cause du champale, mais
aussi parce qu'il l'écoute avec attention. Comme s'il la
comprenait. Elle lui demande la discrétion absolue au
sujet de sa présence à Montréal, il accepte de se taire.

Ils rient, tout de même gênés de se retrouver tous
les deux dans un lieu pareil alors qu'ils se sont toujours
croisés dans la haute société d'Ottawa. Mais surtout
dans les corridors du Château Laurier. Le sénateur
Morin est le seul de ses visiteurs à avoir compris le
message du bouquet de camélias, il l'a respecté, et Ti-
Lou lui en sait gré.

Maria, les poings sur les hanches et le front plissé,
vient s'interposer entre eux.

«C't' homme-là t'achale-tu, Ti-Lou? T'as rien qu'à
le dire, hein, le bouncer est là pour mettre les fati-
quants à leur place...»

Ti-Lou lui met la main sur le bras.

«Non, non, c'est correct. Le sé... monsieur Morin
est une vieille connaissance d'Ottawa en voyage d'affaires. Y est ben correct. Inquiète-toi pas...

— T'es ben sûre?

— Chus ben sûre...»

Pendant que s'éloigne sa cousine, Ti-Lou se dit que
le sénateur Morin est plus que correct. C'est le seul
client, le seul depuis toutes ces années, pour lequel elle
s'est jamais prise d'affection. Un vrai gentleman. Pas
du tout goujat, celui-là. Toujours respectueux. Jamais
dégueulasse avec elle.

Elle le regarde.

Mon Dieu.

Est-ce seulement le bon?

Est-elle trop soûle? Est-elle en train de confondre deux personnes?

Elle se penche dans sa direction.

«Vous êtes ben le sénateur Morin, hein? J'me trompe pas?

— Vous vous trompez pas, mais je pense que vous avez assez bu pour ce soir. C'est ben beau de fêter, mais y a des limites.

— Oui. Vous avez raison. Y a des limites. Y faudrait… Y faudrait que je rentre à l'hôtel, à c't'heure. Y ont dû mettre trop d'alcool ou ben trop de poison dans leur faux champagne, ça a pas de bon sens…»

Elle veut se lever, n'y arrive pas.

«Mais vous avez pas répondu à ma question, sénateur. Qu'est-ce que vous faites ici, vous? Avez-vous pris votre retraite à Montréal? Avez-vous une cousine qui travaille ici vous aussi?»

Elle rit, s'essuie les yeux.

«Bonyeu que chus paquetée!»

Il lui prend la flûte des mains, la dépose sur la table. Elle veut protester, n'y arrive pas.

«Vous avez raison. Y faut que j'arrête. J'sais même pas si je comprendrais ce que vous me diriez… Y faut que je rentre… Y faut que je retourne à l'hôtel… Y faut que je dorme… Y faudrait aussi que je pense à c'que j'vas faire demain quand j'aurai soigné mon mal de bloc…

— J'vais aller vous reconduire.

— Non, non, Maria va m'appeler un taxi…

— C'est plus prudent si je vous ramène à votre hôtel…»

Elle relève le buste, le regarde droit dans les yeux.

« J'vous ai dit que j'avais pris ma retraite, hein… Pensez pas que… »

Elle n'achève pas, rougit. Après tout, rien dans ce qu'il a dit ne laissait supposer qu'il désirait passer la nuit avec elle.

« Excusez-moi. Excusez-moi.

— C'est correct. J'ai une voiture… »

Il lui tend le bras. Elle s'y appuie pour se lever.

« J'espère que vous allez vous conduire en gentleman jusqu'au bout, hein… J'vous ai dit que j'étais à l'hôtel Windsor ? Oui, j'vous l'ai dit. Chus à l'hôtel Windsor, chauffeur ! »

Son éclat de rire fait se tourner des têtes.

Maria s'amène presque en courant, un plateau rempli de verres de bière au bout des bras.

« Tu t'en vas déjà ? »

Elle regarde le sénateur Morin avec un air soupçonneux.

« Avec lui ? »

Il sourit, se courbe presque en deux.

« Sénateur Pierre-Gilles Morin. Je suis un… ami de votre cousine. N'ayez crainte, elle est entre bonnes mains… »

Ti-Lou embrasse sa cousine sur la joue et lui murmure à l'oreille :

« Ça, pour avoir des bonnes mains… »

En la regardant s'éloigner, Maria se dit que Ti-Lou devrait penser à changer sa garde-robe. On dirait qu'elle sort d'un bordel du tournant du siècle.

Il gare la voiture devant l'hôtel Windsor, arrête le moteur.

Le portier descend aussitôt les marches, vient ouvrir la porte du côté passager.

«Vous avez trouvé le Paradise, madame?»

Ti-Lou lui sourit.

«Oui, pis un vieil ami par la même occasion…»

Elle sait qu'elle devrait dire au revoir au sénateur Morin, le remercier d'être venu la reconduire et monter à sa chambre. Mais le champale lui a enlevé forces et défenses, elle se sent pesante, engourdie, et aurait envie de passer la nuit là, appuyée contre le dossier du siège, à jaser. Ou à dormir. En toute confiance. En attendant que l'effet de l'alcool frelaté se dissipe. Tout tournoie devant ses yeux, la rue Peel, l'hôtel, la voiture, la casquette rouge du portier qui se promène de droite à gauche dans son champ de vision pour revenir à son point de départ sur la tête de l'homme penché en deux qui lui tend la main en souriant.

Elle rit.

«Vous avez failli perdre votre casquette.»

Le portier se redresse, porte la main à sa tête.

«Non.»

Le sénateur Morin étire le cou pour parler au portier. Sa tête touche presque celle de Ti-Lou. L'odeur entêtante du gardénia mêlée à son musc à elle… Que de souvenirs.

«Je devrais peut-être aller reconduire madame à sa chambre…

— On peut s'en occuper, monsieur…

— J'en doute pas, mais je connais très bien madame…

— De toute façon, vous avez pas le droit de parquer ici. C'est réservé pour les taxis…

— Même pour cinq minutes?

— Même pour deux minutes. C'est ben sévère. Quand vous reviendriez, votre char serait pus là.

— Vous pourriez leur dire que j'vas revenir tout de suite…

— Y me croiraient peut-être pas.»

Le sénateur soulève son chapeau.

«Félicitations. Vous protégez bien vos clientes…»

Le portier soulève sa casquette.

«Merci du compliment. Mais on sait pas toujours à qui on a affaire…

— Je peux aller stationner un peu plus loin si vous voulez… Y a ben un endroit où je peux stationner, non?»

Le portier s'adresse à Ti-Lou en se demandant si elle comprendra ce qu'il va lui dire. Elle est visiblement trop ivre pour pouvoir prendre des décisions.

«C'est à vous de décider, madame…»

Elle sort un pied de la voiture, lui tend la main.

«J'peux m'arranger tu-seule. J'me sus toujours arrangée tu-seule…»

Elle se tourne vers l'homme qu'elle a si souvent vu nu, qu'elle a entendu ahaner, renâcler, rugir, jouir, et qui lui semble si étranger dans cet environnement qui ne leur est familier ni à l'un ni à l'autre. Son odeur de cigare cubain, ses yeux irrésistibles d'épagneul en détresse. Que de souvenirs.

«Merci beaucoup, sénateur Morin, vous êtes ben gentil. J'ai toujours su que vous étiez un vrai gentleman. Mais j'vas me débrouiller. Chus pas si soûle.»

Le portier l'aide à descendre de l'automobile.

Elle se tourne vers la voiture, s'appuie sur le toit, se penche.

«Mais faudrait que vous m'expliquiez un jour ce que vous faisiez au Paradise, à soir, y me semble que c'est pas votre genre d'établissement…»

Il lui tend sa carte.

« Je suis à Montréal pour quelques jours. Si vous voulez de plus amples explications, ça va me faire plaisir de manger avec vous… »

Elle lui sourit comme elle le faisait lorsqu'il quittait sa suite du Château Laurier après une nuit qui les avait comblés tous les deux. Parce qu'avec lui elle s'était toujours laissée aller à apprécier les joies de ce qu'elle faisait habituellement pour gagner sa vie.

« J'pars de l'hôtel Windsor demain matin pour aller m'installer dans mon appartement… J'ai pas encore le téléphone… Mais j'vas peut-être trouver un moyen de vous appeler vers la fin de l'après-midi… Peut-être.

— Alors on mange ensemble demain soir ?

— C'est ça, on mange peut-être ensemble demain soir… »

Une pétarade. Le moteur s'est étouffé. Puis la voiture s'éloigne dans la rue Peel presque déserte.

Le portier aide Ti-Lou à monter les marches en la soutenant par le coude.

Elle se sent légère, tout à coup, elle n'est plus fatiguée. Elle se dit qu'elle aurait peut-être dû retenir le sénateur Morin. L'inviter à prendre un dernier drink. Non. Elle a eu raison. Elle a besoin d'une bonne nuit de sommeil. Et elle ne sera sans doute pas en état de s'occuper d'un homme à son réveil, demain matin…

Après qu'il lui a ouvert la porte, elle donne au portier un généreux pourboire.

« Connaissez-vous ça, le champale, vous ? »

Il fronce les sourcils.

« Le quoi ?

— Le champale. C'est comme du champagne, mais en plus cheap…

— Non. Moi, vous savez, à part la bière… »

Elle pose la main sur son bras.

«En tout cas, si jamais quelqu'un vous en offre, refusez!»

Du plomb. Dans sa tête et partout sur son corps. Et le mal de tête anticipé. En deux fois pire! Un couteau lui fouille le cerveau, elle a l'impression que les yeux vont lui sortir de la tête, elle sent son sang battre trop vite à ses oreilles. Elle est convaincue que si elle ouvrait les yeux, la lumière du jour la tuerait. Il faut pourtant qu'elle prenne de l'aspirine. Beaucoup d'aspirine. Elle a oublié de poser le tube sur la table de chevet avant de se coucher et devra traverser la chambre pour se rendre à la salle de bains. Mais elle ne peut pas bouger. Elle sait qu'elle est couchée sur le côté droit, elle sent le drap froissé sur sa jambe et la taie d'oreiller contre son oreille. Elle n'a sans doute pas bougé de la nuit. Elle est tombée comme morte dans le grand lit, a perdu connaissance plus qu'elle ne s'est endormie et a cuvé sans même s'agiter dans son sommeil l'alcool de mauvaise qualité qu'elle a pris un malin plaisir, la veille, à siffler trop vite tout en sachant ce qu'elle risquait. Plus jamais. L'enivrement, les bulles légères à la surface de son cerveau, le monde qui tournoie et qui danse ne valaient pas le prix qu'elle doit payer ce matin, qu'elle avait prévu mais qu'elle avait décidé d'ignorer. S'était-elle crue plus forte qu'elle ne l'était en réalité? Non, elle avait juste voulu avoir du plaisir au moment où il se présentait, en profiter tout en remettant les conséquences au lendemain.

Elle pense au sénateur Morin, à sa gentillesse, à ses yeux bruns, et lance un cri d'exaspération. Elle aurait dû moins boire et mieux s'occuper de lui…

Bon. Il faut qu'elle se décide. Bouger d'abord la jambe, essayer de la sortir du lit, puis se donner une poussée du bras replié sans ouvrir les yeux. Puis traverser la chambre à tâtons en direction de la salle de bains où l'attendent l'aspirine et une douche chaude, puis froide d'un bon quart d'heure. Sinon plus.

Ça y est. Sa jambe est hors du lit. Elle se rend compte qu'elle n'est pas nue. Elle s'est couchée tout habillée. A-t-elle seulement pris la peine d'enlever son chapeau avant de se jeter dans le lit? Elle tâte sa tête. Non, pas de chapeau. Il doit traîner par terre quelque part entre le salon et la chambre à coucher. Au fait, qui lui a ouvert la porte de la suite? A-t-elle été capable de le faire toute seule? Et son sac à main? Où est son sac à main? Et ses deux valises d'argent?

Sans trop s'en rendre compte, sans doute un automatisme, un geste trop souvent répété pour qu'il demeure conscient, elle se retrouve debout à côté du lit. Elle se dit que c'est ridicule de garder les yeux fermés, que les rideaux sont fermés et que la lumière, même s'il est tard, même si on en est au cœur de l'après-midi, sera tamisée et ne lui fera aucun mal. Elle ouvre un œil. Il est tard parce qu'aucun rayon de soleil ne passe dans l'interstice des rideaux tirés la veille par une employée venue préparer la chambre pour la nuit. Ses fenêtres donnent à l'est, si on était le matin il y aurait du soleil, une barre de lumière sur le tapis. Mais le soleil est déjà trop haut.

Combien de temps a-t-elle dormi? Elle regarde sa montre. Midi et demi. Elle doit quitter la chambre à une heure.

«Y ont rien qu'à attendre!»

Sa voix la surprend, elle sursaute. Plus rauque que d'habitude, presque le cri d'un animal blessé.

Elle titube vers la salle de bains, allume la lumière – trop fort, c'est insupportable –, puis l'éteint. Elle prendra sa douche à la noirceur.

Elle trouve les aspirines, en avale quatre en se demandant si c'est trop ou pas assez.

Elle passe de longues minutes sous l'eau, d'abord chaude, puis de plus en plus froide, comme elle l'avait planifié. Elle sent peu à peu ses nerfs de décoincer, se délier, la brûlure sur sa peau lui fait du bien. Ses cheveux lui tombent de chaque côté du visage et elle se demande de quoi elle aura l'air quand elle va traverser le grand hall de l'hôtel, tout à l'heure, la chevelure encore mouillée, les vêtements froissés, le chapeau cabossé. Elle qui a toujours apporté avec elle son savon au gardénia parce qu'elle déteste les produits de mauvaise qualité fournis par les hôtels, cette fois elle l'a oublié, puis se souvient qu'elle est à l'hôtel Windsor, une des perles de Montréal, et que les produits de toilette doivent être haut de gamme. Elle défait l'enveloppe de papier d'un petit savon, le hume. Ça sent bon.

Elle reste longtemps sous le jet, attend que l'aspirine commence à faire effet avant de songer à sortir de la douche. Chez elle, au Château Laurier, elle aurait pris un long bain, une débarbouillette d'eau fraîche sur le front, et aurait patienté le temps qu'il faudrait, quitte à passer une partie de la journée dans l'eau aussitôt renouvelée lorsqu'elle serait devenue trop froide.

Le Château Laurier. Chez elle. Non. Son nouveau chez elle l'attend quelque part dans la partie nord de l'île de Montréal et elle saura dans peu de temps si elle a commis ou non une erreur en le louant. Une phrase lui traverse l'esprit : pour le reste de ses jours. Alors elle s'appuie de la main contre le mur en petites tuiles blanches de la douche et éclate en sanglots. Le reste de ses jours : un trou noir dont elle n'est même pas sûre qu'elle pourra le remplir de quoi que ce soit. Ça n'est peut-être qu'un trou qu'elle ne réussira jamais à combler. Une existence vide et oisive après une vie si remplie et si affairée.

Lorsqu'elle se regarde dans la grande glace du salon juste avant de quitter la suite, elle se trouve idiote de ne pas avoir prévu au moins une robe de rechange. Croyait-elle vraiment partir magasiner à travers les rues de Montréal le lendemain de son arrivée ? Elle voulait tout recommencer à neuf, soit, faire table rase, tout laisser derrière, les traces de son métier, les souvenirs matériels et même les autres, mais elle aurait pu se montrer un peu plus pratique. Surtout qu'elle a passé la nuit dans les vêtements qu'elle porte. Comment fera-t-elle pour traverser le hall attifée d'une toilette froissée et d'un chapeau défraîchi ? Et se présenter dans les boutiques ? La tête haute, voilà. Comme toujours. Ne jamais montrer sa détresse. Ne pas leur laisser voir – qui ça, les clients, les vendeuses, les gens en général, le monde entier ? – la moindre hésitation, le plus petit doute. Foncer. Ne pas se retourner, ignorer les rires et les sarcasmes. C'est Ti-Lou qui passe et rien ne touche Ti-Lou.

Elle n'est plus à Ottawa, toutefois, elle a laissé derrière elle la femelle convoitée par les plus grands, elle n'est plus qu'une quelconque cliente d'hôtel chic et sa sortie ne ressemblera pas à celles, parfois spectaculaires, auxquelles elle a habitué la capitale fédérale. Pour la première fois, il est possible que le jugement des autres clients de l'hôtel aura de l'importance pour elle.

Alors, faire ça vite. Partir d'ici au plus sacrant et ne plus jamais remettre les pieds dans une suite d'hôtel qui lui rappellerait son passé, se cacher, s'enfermer, s'enterrer, s'en tenir à son projet, en fait. Avant qu'il ne soit trop tard, pendant qu'elle en a encore le choix parce que personne jusqu'ici n'a eu le toupet ou le courage de lui suggérer que le temps était peut-être venu de se retirer...

Avant de partir, elle fait une dernière inspection de la suite, bien inutile puisqu'elle n'a rien d'autre que ses deux valises d'argent et son petit sac de voyage, mais elle tombe sur la carte de visite que lui a laissée le sénateur Morin, la veille, et qu'elle avait déposée sur la table de chevet.

Elle s'assoit sur le lit défait.

L'appeler, là, tout de suite ? Le téléphone n'est pas encore installé dans son appartement, Dieu sait quand il le sera, et, plus tard dans la journée, elle ne saura pas où en trouver un, boulevard Saint-Joseph. Il ne lui a pas dit combien de temps au juste il comptait rester à Montréal... Elle sourit. Est-ce une excuse qu'elle vient de se trouver parce qu'elle a envie de lui parler ? Après tout, terminer sa première journée d'exil en bonne compagnie ne serait peut-être pas une mauvaise chose.

Une vraie girouette. Elle vient de se dire qu'il faut qu'elle se cache, et voilà que... Mais il faudrait trouver une robe, un coiffeur et, surtout, prendre la décision de ne pas boire comme la veille, pas même du vrai champagne, de façon à garder le contrôle.

Non, c'est trop vite, ce n'est pas envisageable, elle n'aurait jamais le temps de faire tout ça.

Quoiqu'il est encore tôt. Elle pourrait s'informer, acheter n'importe quoi dans une boutique de la rue Mont-Royal, une petite chose sans forme tant à la mode, un chapeau cloche qui dissimulerait sa fatigue, porter les mêmes souliers parce que les hommes ne remarquent jamais les souliers…

Elle a beau se rappeler à elle-même qu'elle s'est réfugiée à Montréal pour rester seule et ne plus avoir à subir la présence des hommes, la perspective de passer quelques heures en compagnie du sénateur Morin dont elle a toujours apprécié la délicatesse et l'humour lui fait quelque peu oublier son mal de tête. Une petite fantaisie avant de disparaître complètement, pourquoi pas?

Jouer avec le feu?

Non.

Quand elle lui aura tout expliqué – l'a-t-elle fait la veille? elle ne s'en souvient pas; oui, elle croit se le rappeler… –, il comprendra. Il ira peut-être jusqu'à la conduire chez elle – chez elle! – mais pas plus. C'est un gentleman. Un vrai.

Elle tourne la carte de visite dans ses mains.

Et quelque chose qui ressemble à une pointe d'espoir dissipe les dernières brumes de son mal de tête.

L'appartement du boulevard Saint-Joseph lui a paru moins triste et moins sombre que le souvenir qu'elle en gardait. Elle s'en est trouvée bien soulagée, elle en a presque oublié son début de migraine.

Le salon, en particulier, une vaste pièce double affublée de deux colonnes de plâtre un peu jaunies par des générations de fumée de cigarettes, lui fera un coin agréable et, qui sait, bien arrangé, si elle se décide à «recevoir», un séjour à peu près potable. Tout y est vieux, bien sûr, le brun, la couleur qu'elle déteste le plus au monde, règne partout, mais avec un peu de bonne volonté – et pas mal d'argent –, elle devrait arriver à en faire une bonbonnière acceptable. C'est par là qu'elle va entreprendre ses travaux… Un tapis clair, de la dentelle à la fenêtre, une couleur pastel sur les murs devraient suffire pour commencer.

Elle s'est engueulée intérieurement en défaisant son petit sac de voyage : c'est bien beau de tout vouloir laisser derrière soi pour recommencer sa vie à neuf, mais elle aurait au moins pu prévoir des sous-vêtements de rechange et une ou deux tenues de ville en attendant de se lancer dans ses gros achats… Le coup de tête, comme d'habitude, a été quelque peu exagéré. Tout ou rien. Rien ne devrait pourtant pas signifier rien du tout !

Elle a rendez-vous avec un homme, et pas n'importe lequel, le soir même à sept heures et se voit dans l'obligation de sortir aussitôt arrivée à la recherche d'une tenue présentable.

Où aller ? Elle a entendu parler de la rue Mont-Royal où sa tante Teena vend des chaussures depuis toujours. Quel genre de boutiques y trouvera-t-elle cependant ? C'est bien la première fois, en tout cas depuis longtemps, qu'elle va acheter des vêtements qui ne seront pas faits sur mesure pour elle. C'est vrai qu'avec les robes sans forme qui sont la norme ces temps-ci…

Elle a tout trouvé chez L. N. Messier, le grand magasin de la rue Mont-Royal. Elle s'est habillée de la tête aux pieds pour une somme ridicule et se trouve loin d'être convaincue d'aimer sa nouvelle allure. Dans la section pompeusement baptisée « Le Palais de la Femme Chic », devant les étalages de « nouveautés », elle a décidé de sauter le pas et d'essayer une de ces robes informes qui pendent de partout et qui cachent les rondeurs. Et un chapeau cloche. Et un réticule en paillettes.

Elle se tient maintenant devant la grande glace cachée derrière la porte de la chambre de son nouvel appartement – l'occupante précédente avait-elle honte de contempler son reflet? – et maudit intérieurement les maîtres de la mode, là-bas, à New York ou dans les vieux pays, qui condamnent les femmes à porter d'aussi affreuses hardes. Adieu, la taille fine, les seins relevés et mis en valeur, le mystère d'une jupe frou-froutante. On en voit trop, tout en ne devinant rien. Ses jambes sont encore belles, mais tout un chacun pourra désormais les apprécier alors qu'elle les a toujours réservées aux plus offrants.

Elle lisse la jupe parsemée de paillettes que quatre glands de soie tiennent droite et raide. Ça bouge quand elle marche, mais ça perd toute personnalité quand elle n'est pas en mouvement. Et ce chapeau qui lui écrase les cheveux et lui fait des œillères comme celles qu'on met aux chevaux! Ses chapeaux ont toujours été aériens, vaporeux; celui-ci lui enserre la tête dans un tube de feutre en forme de boule de quille.

Le sénateur Morin sera-t-il étonné de la transformation, la trouvera-t-il moins ragoûtante parce que trop ordinaire? En tout cas, trop «comme les autres»?

Elle consulte sa montre. Cinq heures. Elle a deux heures pour se préparer, se coiffer, se maquiller, pallier, en fait, le manque de mystère de ses nouveaux vêtements avec des artifices qui éloigneront le regard du sénateur Morin de ses appâts dissimulés dans une poche de patates pour, du moins l'espère-t-elle, l'attirer vers son visage. Le parfum sera important, aussi. Elle n'a pas l'habitude de ne pas être sûre d'elle et ça l'agace.

Elle hausse les épaules. Voilà qu'elle pense déjà en guidoune alors qu'elle a pris sa retraite moins de vingt-quatre heures plus tôt. Elle s'était pourtant dit, en appelant son ancien client de la suite de l'hôtel Windsor, qu'elle se contenterait d'une sortie entre vieux amis, une soirée sans conséquence, qu'elle mettrait au clair dès qu'il arriverait qu'il ne serait pas question que…

Qui croit-elle tromper? Une séductrice reste toujours une séductrice, même à la retraite. Elle sait qu'elle ne pourra pas s'empêcher de briller, qu'elle usera de son rire de gorge, de la rondeur de ses bras, de l'éclat de ses yeux, c'est automatique, sa seconde nature, pourquoi lutter?

Habillée comme ça? En *flapper* de film américain? Raccourcir ses gestes de fausse grande dame, retenir ses rires dévastateurs, faire petit alors qu'elle a toujours tout exagéré? Puis elle pense à Theda Bara dans *The Unchastened Woman* qu'elle vient de voir à Ottawa et qui réussit à être attirante malgré les accoutrements ridicules du genre de ceux qu'elle porte actuellement. Ça la rassure. Un peu. Elle ne va tout de même pas se condamner à penser à Theda Bara pendant toute la soirée pour ajuster son comportement à ses vêtements!

Elle vient de poser les sacs vides sur le lit lorsqu'on sonne à la porte. Bien sûr, elle n'attend personne. En se dirigeant vers l'entrée, elle se dit qu'elle aura peut-être désormais à s'habituer aux colporteurs, engeance pénible avec laquelle elle n'a jamais eu affaire jusque-là, protégée qu'elle était dans les hauteurs du Château Laurier.

Elle reconnaît sa silhouette de loin à travers le rideau de dentelle.

Le sénateur Morin, le chapeau à la main. Avec deux heures d'avance. Et un bouquet de fleurs disproportionné pour la circonstance.

Aussitôt qu'elle ouvre la porte, il éclate de rire avant de reprendre son sérieux.

«J'ai comme l'impression que vous étrennez, madame Ti-Lou, je vois dépasser au moins trois étiquettes!»

Elle ne sait pas où se mettre. Quoi faire. S'excuser? Essayer de trouver les étiquettes et les arracher au risque de gâcher ses maudits vêtements neufs? Faire semblant de rien et engager la conversation avec le prix du chapeau qui lui traîne sur l'oreille?

Elle ose espérer qu'elle n'a pas trop rougi.

Mais il a repris son sérieux avec une telle rapidité qu'elle devine que quelque chose ne va pas, qu'elle va apprendre une mauvaise nouvelle, qu'elle va passer sa première soirée toute seule dans son nouvel appartement.

«Excusez-moi de me présenter si de bonne heure, mais c'était la seule façon que j'avais de vous rejoindre. Ça ou un télégramme. Mais un télégramme aurait été poli. Chus t'obligé de décommander notre souper. J'ai eu un téléphone d'Ottawa. Ma femme est tombée malade, y faut que je parte tu-suite. Chus vraiment désolé, j'me faisais une joie de passer la soirée avec vous.»

Un petit sourire lui vient tout de même à la commissure des lèvres.

«Surtout que vous vous êtes mise en frais...»

Il lui tend le bouquet.

«J'ai réussi à trouver des gardénias. J'pense que le concierge, au Ritz, avait jamais entendu ce mot-là! Y pensait que j'avais dit *gardener* pis y devait se demander ce que je voulais faire avec un jardinier!»

Il semble embarrassé par sa petite tentative d'humour, tousse dans son poing.

« Croyez-moi, chus vraiment désolé. »

Elle cache sa déception en haussant les épaules.

« C'est pas grave, sénateur, on se reprendra. C'est pas le temps qui va me manquer, hein… »

Ils restent quelques secondes immobiles, mal à l'aise.

« Voulez-vous entrer quequ'minutes ? Une tasse de thé ? Un café ? J'pense que j'en ai vu dans la dépense… »

Il recule de deux pas, remet son chapeau sur sa tête.

« Non, merci. J'aimerais ça, mais… la route est longue jusqu'à Ottawa. Pis j'aime pas beaucoup conduire à la noirceur.

— J'espère que c'est pas grave.

— Quoi ?

— Votre femme. J'espère que c'est pas grave.

— Ah ! Je sais pas. Le télégramme en disait pas beaucoup…

— Ça y arrive souvent d'être malade ? »

Qu'est-ce qu'elle fait ? Essaie-t-elle de le retenir ? Qu'il s'en aille, qu'il aille rejoindre sa légitime, après tout, qu'est-ce que ça peut lui faire ?

« Oui. C'est chronique. Mais parlons pas de ça. Vous avez ma carte, quand vous aurez le téléphone, appelez-moi. Au bureau, bien sûr. Je viens souvent à Montréal et ça serait le fun de se revoir… »

La coquette remonte à la surface. Ti-Lou dresse les épaules, lève le menton.

« J'vous ai appelé une fois, sénateur, j'en prendrai certainement pas l'habitude ! »

Il fronce les sourcils.

« Bon. Ben, je viendrai sonner à votre porte si vous m'en donnez la permission.

— C'est ça. Si chus là, on verra.»

Elle lit la déception dans son regard. C'est vrai que ce n'est pas sa faute, elle est trop brusque avec lui, elle a peut-être montré un peu trop d'indépendance. Puis, au mot indépendance, elle redresse encore plus le corps.

Qu'il aille au diable, après tout, elle n'a pas besoin de lui!

Il lui tend la main.

«Faut vraiment que je parte. Encore une fois, chus désolé. À la prochaine, peut-être.

— C'est ça, à la prochaine.»

Sa main est ferme, enveloppante. Amicale.

Peut-être ne voulait-il que passer une soirée entre vieux amis, lui aussi, après tout, pourquoi est-elle si sévère avec lui?

Elle s'essaye à un sourire chaleureux. Sans grand succès.

«Bon, ben, c'est ça. J'y vas.

— C'est ça, bon voyage, soyez prudent. C'est vous qui conduisez, vous m'avez dit?

— Oui.

— J'pensais que les sénateurs avaient des chauffeurs.

— Non. Les sénateurs ont pas de chauffeurs. Pis j'étais en déplacement personnel…»

Qu'il s'en aille! Qu'il saute dans sa voiture et qu'il prenne la route d'Ottawa au plus sacrant!

Il a tourné le dos. Il a descendu les trois marches du perron. Il a poussé la petite clôture de métal fraîchement repeinte.

Elle ferme la porte, le regarde monter dans sa voiture à travers le rideau de dentelle.

Elle est de retour devant la grande glace accrochée derrière la porte de sa chambre à coucher (il faudra lui trouver un autre emplacement, elle n'est tout de même pas entrée au couvent!).

Avec la petite étiquette du chapeau qui lui pend près de l'oreille droite.

Idiote!

D'avoir cru. N'importe quoi. Ne serait-ce que l'espace d'un instant. Qu'elle aurait pu continuer *on the side*, par exemple. Parce que c'est ça qu'elle a dû envisager sans se l'avouer. Arrondir ses fins de mois, voir venir, quelle que soit l'impression qui lui vient à l'esprit, elle lui semble ridicule, enfantine, naïve au seuil du pathétique. Prendre une décision d'adulte, faire un choix qui va changer sa vie pour ensuite tomber dans l'enfantillage, ça lui ressemble si peu, pourtant.

Elle a dû vouloir s'accrocher un peu avant de lâcher prise. Et elle a perdu pied. Devant l'un des seuls clients décents qu'elle ait jamais connus. S'il essaie de la revoir, la semaine prochaine, dans deux mois, il lui faudra s'armer de courage, s'entrer les ongles dans la paume de la main, comme dans les mélodrames américains, Theda Bara ou Gloria Swanson, devenir une mauvaise actrice, la bouche entrouverte et les yeux ronds, pour refuser toute invitation. Pour s'empêcher de rêver.

Rester seule.

Parce que le couperet est tombé.

Et, surtout, ne pas considérer que c'est une punition. Au contraire. Envisager tout ça, la paix, le silence, même si c'est difficile au début, pire que difficile, intolérable, comme une récompense bien méritée.

Elle se penche, se regarde droit dans les yeux.

Mais comment accueillir la solitude comme une récompense? Parce qu'on a connu trop de monde?

Intimement ? Pendant trop longtemps ? Parce qu'on a voulu être la dame aux gardénias ? Parce qu'on a réussi ? Et qu'on en a assez ?

En a-t-elle seulement assez ? Non, bien sûr. Si son corps n'était pas en train de la trahir, si son physique avait été immuable, si le temps n'avait eu aucune emprise sur lui, elle continuerait. C'est faux qu'elle soit fatiguée. Elle n'est pas fatiguée. Elle a fait un choix intelligent, réfléchi : lâcher avant qu'on la lâche.

Tout ça est fini. Mets-toi bien ça dans la tête une fois pour toutes. Tout ça est terminé. Là, en ce moment, tu trouves ça terrible, la perspective de ce qui t'attend te terrorise, mais pense au repos. Au repos. Imagine-toi étendue dans une chaise longue sur ton balcon, toi qui n'as jamais connu de balcon de ta vie. Un petit cigare dans une main (ben oui ; on ne peut pas se passer de tout), un Cherry Delight dans l'autre et une bouteille de vrai champagne qui flotte dans un bac de glace. Les yeux, le corps complet refermés sur le délice de la saveur qui coule dans ta gorge. La lecture, peut-être, sûrement le cinéma. Les longues marches, toi qui ne te déplaçais qu'en phaéton qui n'était sans doute qu'une vulgaire calèche, d'ailleurs.

Entre ces activités…

Le vide ?

L'angoisse ?

La panique qui guette et qu'on doit tenir à distance à force de courage et de déni ?

La folie n'est-elle pas la fille de l'oisiveté ?

Alors pas d'oisiveté. Jamais. Toujours s'occuper. Comme là, tout de suite, trouver quelque chose à faire, déballer les paquets qu'elle a rapportés de la rue Mont-Royal et qui contiennent un embryon de garde-robe, le strict nécessaire, sous-vêtements, « robes de maison », pantoufles, articles de toilette.

Non. Elle n'y arrivera pas.

Elle est faite pour autre chose. Une autre vie. Pas pour cette fin-là. Elle n'est pas faite pour cette fin de vie là.

Pour se persuader de ne pas sauter sur ses sacoches d'argent et courir à la gare Windsor prendre le premier train pour chez elle, Ottawa, la suite du Château Laurier, les draps imprégnés de son cher gardénia, les bras des hommes odorants et ingrats, elle place sa main droite à plat contre le miroir.

Et contemple pendant de longues minutes les veines bleutées et les vilaines tavelures, les marques incontournables du vieillissement.

Si le reste peut tromper, pas ça.

TROISIÈME HASARD

Un partenaire inattendu

En sortant de l'ascenseur, au rez-de-chaussée, elle se jette sur le premier groom qu'elle croise.

«Excusez-moi, mais le bar est où?»

Le jeune homme la détaille des pieds à la tête, l'air de se demander qui est cette femme chic, quoique habillée comme ça ne se fait plus, si pressée d'aller se jeter dans le bar. Et seule.

«Y faut traverser la rotonde, c'est de l'autre côté. Y est neuf pis y est ben beau… Tout le monde en parle à Montréal… Tout le monde vient voir ça. Enfin, ceux qui en ont les moyens…»

Il part devant elle; elle le suit.

Ils traversent la magnifique rotonde, marbre et dorures, qu'elle n'avait pas eu le temps d'observer à son arrivée et où est suspendu le plus gros lustre qu'elle ait jamais vu. Beau? En tout cas, impressionnant. Beaucoup de fer forgé. Une énorme lampe en forme de flamme, couleur ambre et alimentée à l'électricité, sans doute pour flatter le teint de ces dames, jette sur le hall une lumière douce, apaisante. Les employés sont à leur poste derrière le comptoir de la réception – le préposé à l'accueil qui vient de se faire une petite fortune avec elle la salue bien bas –, le concierge est en grande conversation avec un homme à cigare qui parle trop fort – est-il à la recherche d'une femme comme elle, y a-t-il une Ti-Lou, quelque part dans les hauteurs du Windsor, qui attend que le téléphone sonne pour se jeter sur ses prophylactiques et dans ce qu'elle possède de plus indécent? –, quelques promeneurs errent comme des oiseaux en cage. Des oiseaux sans prix enfermés dans une cage dorée. Que cherchent-ils? Le bar? La salle à manger?

Au bout de ce qui s'appelle la Peacock Alley, une galerie marchande qui sépare les deux immenses salles de bal, se trouve le fameux bar. Ti-Lou se dit qu'elle ne l'aurait jamais trouvé toute seule. On se sent donc obligé de se cacher, au Windsor, pour boire?

« Vous avez une salle à manger, aussi, non?

— On en a deux, madame, une juste pour le matin, pis une autre pour le reste de la journée… »

La porte du bar est si travaillée de métal forgé, de feuilles de vignes, de tôle vernie et de fausses pierres précieuses savamment serties que Ti-Lou a l'impression de s'approcher des grilles d'un sérail d'Afrique du Nord.

« C'est ouvert à cette heure-là, non?

— Oui, oui. Y tiennent la porte fermée pour la montrer pis pour pouvoir l'ouvrir à chaque client qui se présente. Mais vous, là, votre mari va venir vous rejoindre au bar bientôt? »

Elle s'arrête pile.

« Qu'est-ce que vous avez donc à me parler tous de mon mari, aujourd'hui? J'ai dit au gars de la réception que j'étais veuve, madame veuve Georges Desrosiers, vous vous attendez quand même pas à ce que mon mari mort vienne me rejoindre pour boire un martini dans le bar de l'hôtel Windsor, non? »

Le groom hésite avant de lui répondre.

«Excusez-moi, je pouvais pas savoir.

— C'est vrai, mais êtes-vous obligé de parler de leur mari à toutes les femmes qui se présentent tu-seules au bar?»

Autre courte hésitation.

«En fait, oui.

— Comment ça, en fait, oui? Ça veut dire quoi?»

Le groom regarde autour de lui comme s'il ne voulait pas qu'on entende ce qu'il allait lui dire.

«Euh… Les femmes tu-seules sont pas acceptées dans le bar.»

Le couperet vient de tomber. Elle l'a vu descendre du plafond et trancher l'air entre le groom et elle pour aller se ficher dans le tapis sans prix en produisant un bruit définitif et irrévocable de rejet. La censure victorienne, cette maladie chronique dont Ottawa est atteinte depuis si longtemps, s'est donc répandue jusqu'ici? Montréal a pourtant la réputation d'être une ville à l'esprit ouvert. Ouvert, soit, mais juste pour les hommes? Une Ti-Lou à l'étage, mais pas de Ti-Lou au vu et au su de tout le monde dans le bar? L'hypocrisie anglo-saxonne en visite dans le royaume des Français d'Amérique?

«On a comme un problème, là. Je vous l'ai dit. Chus veuve. Les veuves ont pas le droit de prendre un drink avant le souper?

— Pas dans le bar. S'y sont pas accompagnées.

— Qu'est-ce qu'y font? Vous les encouragez à boire tu-seules dans leur chambre parce que leur mari a eu le mauvais goût de crever trop tôt?

— J'sais pas quoi vous répondre, madame…

— J'vois ben ça, vous avez la bouche ouverte comme un poisson mort…

— Chus désolé.

— Vous êtes pas désolé pantoute. Ça vous dérange pas pantoute de renvoyer une pauvre femme boire tu-seule dans sa chambre, comme une soûlonne, comme quelqu'un qui se cache pour boire! J'me sus jamais cachée pour boire, je commencerai pas à soir… C'est mon seul soir à Montréal, pis je veux un drink avant le souper. Pis au milieu du monde. Si vous m'ouvrez pas les grilles prétentieuses de votre maudit paradis, j'vas le faire moi-même!»

Elle avance le bras pour pousser la grille. Qui ne s'ouvre pas. Il doit y avoir un mécanisme quelque part, déclenché par un barman.

Vont-ils la laisser là, humiliée, le nez collé à une clôture de fer pour la seule et unique raison qu'elle n'est pas accompagnée?

Le groom se penche vers elle.

Ti-Lou porte une main à son front. Ça y est, le coup de grâce s'en vient.

«Y a une chose aussi… Vous êtes pas tellement habillée comme une veuve…»

Elle se tourne vers lui, lui pose une main sur le bras.

«Je le sais qu'y a un déguisement pour les veuves, chus pognée avec depuis des années. Chus supposée me promener derrière une voilette noire en reniflant comme si j'avais une sinusite, mais ça fait un bout de temps que mon mari est mort, j'en avais assez d'avoir l'air d'un corbeau ambulant pis je voulais pas porter le noir jusqu'à ce que je crève! C'est pas difficile à comprendre, y me semble! Tout ce que je veux, c'est un drink avant d'aller souper. V'nez pas me dire que ça va être la même chose à la salle à manger. Les veuves ont-tu le droit de manger, chez vous?»

Le groom fait un signe au barman, un déclic se fait entendre, la porte du bar s'entrouvre.

«Dites-leur que votre mari s'en vient. Y savent pas que vous êtes veuve. Ça va vous sauver du temps… le temps de prendre un verre. Pis inquiétez-vous pas pour la salle à manger. Le bar, vous comprenez, c'est à cause du genre de femmes qui pourraient se présenter…

— Votre bar serait peut-être moins plate avec le genre de femmes qui pourraient se présenter…

— Vous le savez pas !

— Non, mais j'm'en doute. Même que ça doit être encore pire que ce que j'imagine. J'aurais dû prendre un drink dans ma chambre… Si vos clients sont pas capables de faire la différence entre une veuve pis une guidoune…

— La porte est ouverte, madame, vous pouvez y aller… »

Ti-Lou recule de quelques pas.

«En plus, j'pourrai pas sortir de là par moi-même ? Va falloir que je demande la permission ? J'vas être emprisonnée dans un bar de grand hôtel oùsque c'est le barman pis les grooms qui choisissent les clients pis vous délivrent quand ça leur tente ! Sont-tu après virer fous ?

— Ça s'appelle un bar exclusif…

— Ça s'appelle un bar infréquentable, à mon avis ! Si j'habitais Montréal, j'vous dis que je vous ferais toute une réputation ! »

Elle pense qu'elle habite justement Montréal désormais et se demande si elle aurait le courage de dénoncer les politiques de l'hôtel Windsor. Sans doute pas…

Le groom tire un peu la grille vers lui.

«Vous en faites pas pour sortir, madame. Y a un bouton pour les clients, à l'intérieur…

— C'est rassurant… Les guidounes doivent pouvoir se sauver…

— Y en a très peu qui réussissent à nous tromper…»
Ti-Lou rit.

«Vous les connaissez ben mal. Y en a peut-être plus que vous pensez qui se faufilent dans votre bar sous de faux prétextes. Moi, par exemple, je pourrais en être une…

— C'est pour ça qu'on est prudent, madame…

— Ça veut dire que vous croyez pas que chus veuve?

— J'ai pas dit ça…

— Voulez-vous voir mes papiers?

— J'oserais pas vous le demander. Pis chus juste un groom.

— Vous me donnez juste envie d'aller prendre un drink dans ma chambre. Vous empêchez pas les femmes de se soûler dans leur chambre, au moins?

— Ce que vous faites dans votre chambre vous regarde…

— Pis vous êtes responsable de ce que je fais dans votre bar? C'est ça? C'est absurde.

— On est responsable de l'image de l'hôtel, madame…»

Le groom va se retourner et s'éloigner sans demander son reste – ni oser tendre la main pour un pourboire – lorsqu'une voix s'élève dans le hall de l'hôtel.

«Joséphine! Si je m'attendais à vous trouver ici!»
Ils se tournent tous les deux.

Une magnifique pièce d'homme habillée à la dernière mode se dirige vers eux, mains tendues, sourire impeccable mais, Ti-Lou le voit tout de suite, regard de prédateur et canines de charognard.

Un gigolo en chasse. S'il croit pouvoir l'abuser, il se trompe. Elle va se servir de lui plus qu'il croira se servir d'elle. Il l'a appelée Joséphine? On va bien voir!

«Althéode! Cher ami! Mais où c'est que vous étiez, pour l'amour du bon Dieu! Chus pognée ici comme à la porte du paradis parce que les veuves ne sont pas les bienvenues…»

A-t-il compris l'allusion au veuvage? S'il est un professionnel, oui. Et, c'est évident, il a détesté le nom qu'elle lui a donné. Tant mieux.

«Il me semble, ma chère Joséphine, que vous aviez pour moi autrefois un nom plus doux…

— Mon lapin? C'est pas un nom plus doux, c'est un nom d'animal familier. On est pus familiers depuis trop longtemps, j'vas m'en tenir à Althéode.»

Il a rougi. Bon. Il s'appelle probablement Roger. Ou Raymond. Mais son vernis est assez épais et assez bien appliqué pour faire illusion. C'est une belle bête. Et elle s'y connaît en bêtes de toutes sortes.

Elle sort un dollar de son sac, le tend au groom.

«T'nez.

— C'est trop, madame.

— Vous l'avez mérité. Vous avez bien défendu l'honneur victorien de votre hôtel et vous m'avez presque sauvée d'un drink solitaire au fond de ma sweet…»

Il prend l'argent, salue bas, s'éloigne.

Ti-Lou se tourne vers Althéode.

«Comment j'vas vous appeler? Lucien? Fernand? Pis j'espère que vous allez m'épargner les prémices mielleuses. Des comme vous, j'en ai connu des centaines pis chus trop fatiquée pour jouer le jeu. J'veux juste me servir de vous pour entrer là-dedans, j'veux que vous le sachiez, pis que le flirtage s'arrête là.»

Il est de toute évidence abasourdi, mais fait tout pour le cacher.

Ti-Lou sourit.

« J'sais pas de quelle branche de la fripouillerie vous faites partie, mais dites-vous ben que je les connais toutes pour les avoir toutes fréquentées, que je pourrais jamais dans cent ans être votre victime sans que vous en perdiez quequ'plumes, pis que si vous voulez prendre un verre avec moi, juste un verre, vous êtes le bienvenu. J'leur ai dit que j'étais veuve, je le suis pas, pis je veux quand même prendre un verre dans leur maudite cage à moineaux. »

Si le hall de l'hôtel Windsor se veut moderne et lumineux, le bar, pour sa part, ressemble à un club londonien du siècle dernier : fauteuils de cuir, banquettes capitonnées à clous dorés, bar sculpté dans ce qui semble être une seule pièce de bois précieux, de fausses lampes à gaz alimentées à l'électricité, des coins d'ombre pour les échanges de confidences ou les rendez-vous clandestins, une espèce d'aire centrale quand on veut se faire voir – elle est déjà pleine à cette heure précoce de *nobodys* et de *wannabes* et chacun guette qui le regarde –, une odeur de cigares sans prix qui tue toutes celles, parfums chers de femmes riches, qui pourraient rendre l'endroit plus accueillant. Accueillant, il ne l'est pas. Il le voudrait, mais tout, des draperies lourdes tendues aux fenêtres aux tapis de Turquie chamarrés, des lambris trop gros aux miroirs sans tain biseautés à outrance qui ne reflètent rien, suggère le plaisir retenu, la gêne d'être vu en train de boire en public, ce que les Anglo-Saxons appellent aussi le sens de l'humour anglais ou le pince-sans-rire pour cacher l'ignorance crasse et le manque de véritable humour. Si on rit, c'est trop fort, pour cacher l'inanité de ce qui vient d'être proféré ; autrement, on se tait en buvant.

Sec. Même les femmes qui, de toute évidence, s'ennuient à mourir. Et depuis longtemps.

Victoria est passée par là et sa pruderie s'y est accrochée à deux mains.

Althéode conduit Ti-Lou vers des fauteuils confortables mais anonymes situés de chaque côté d'une table basse où trône un menu prétentieux à cordelette et gland dorés.

« C'est ma place favorite. On peut tout voir sans se faire remarquer. »

Ti-Lou enlève ses gants, les dépose sur le menu.

« Mon Dieu, êtes-vous voleur de profession ? Vous déguisez-vous en chat noir pour vous faufiler partout dans les hôtels ? Avez-vous été trop impressionné par les romans d'Arsène Lupin ? »

Elle le voit hésiter avant de lui répondre, croit, pendant quelques secondes, qu'elle est tombée juste et qu'elle a devant elle un rat d'hôtel. Un très beau rat d'hôtel. Il la prend peut-être lui-même pour quelque pickpocket ou... pour ce qu'elle est.

Il fait signe au barman de s'approcher.

« Un voleur, non, mais c'est vrai que j'ai une profession... »

Après qu'ils ont commandé – un double martini pour lui, un Between the Sheets pour elle –, il la regarde droit dans les yeux.

« J'vous ai reconnue. Même de dos. »

Elle se retient de réagir. Comment peut-il la connaître ? Un ancien client ? Non. Elle s'en souviendrait.

« D'Ottawa. Si jamais vous vous le demandez.

— On s'est connus à Ottawa ? Quand ça ?

— Non, on s'est pas connus à Ottawa, mais je vous y ai vue travailler. »

Elle pâlit. Un policier? Le policier de l'hôtel qui doit piéger toutes les femmes comme elle qui osent essayer de franchir les maudites grilles du maudit bar? Il va la jeter dehors en la tenant par la peau du cou? Devant tout le monde?

Il se penche vers elle, lui pose la main sur le bras.

« Ayez pas peur… J'fais le même métier que vous… »

Un gigolo! Il fallait qu'elle tombe sur un gigolo le premier soir! Il ne pense tout de même pas…

Les drinks arrivent. Ils trinquent comme s'ils se connaissaient depuis toujours. Le Between the Sheets est délicieux, à la fois onctueux et piquant.

« Chaque fois que j'allais à Ottawa… pour affaires, je m'arrangeais pour me trouver sur votre chemin… Ti-Lou. Pour vous voir. Pour vous admirer. Pour guetter chacun de vos gestes, chacune de vos paroles, votre port de tête, votre façon de sourire, de rire… Votre élégance, Ti-Lou, en toutes circonstances et en toute compagnie! Plus il était grossier, plus vous étiez divine. J'ai jamais été capable de vous imiter. Plus y sont grossiers, plus j'ai envie de me fondre dans les fleurs du tapis. Pas vous. J'ai jamais su comment vous faisiez. Pour passer à travers tout ça tout en restant la plus belle femme d'Ottawa. Un cœur de pierre? Si vous en aviez un, je vous l'enviais. Moi, autant j'étais fier quand y étaient beaux ou, au moins, quand y avaient de l'allure, autant j'avais honte quand y étaient trop vulgaires… »

Ti-Lou a froncé les sourcils; il l'a remarqué.

« Oui, je parle d'eux autres au masculin. Chus un prostitué… pour les hommes, moi aussi. »

Ti-Lou accuse le coup.

Elle prend une gorgée de Between the Sheets pour se donner une contenance et gagner un peu de temps.

«On peut dire que vous êtes franc, vous…

— J'voulais que vous sachiez tu-suite à qui vous aviez affaire…

— Pourquoi? Pour pas que je pense que vous flirtiez avec moi?

— Oui. Pour pas que vous pensiez…

— J'viens de prendre ma retraite, Althéode, j'vous aurais viré de bord de toute façon…

— J'm'appelle Albert.»

Elle sourit, termine son drink en fermant les yeux.

«J'aimais mieux Althéode. C'tait plus original.

— C'tait aussi plus ironique. Vous vous moquiez de moi. Vous pouvez pas vous moquer avec Albert, c'est trop banal.

— C'est vrai.»

Elle en a connu quelques-uns des comme lui, à Ottawa. Des vieux dont la réputation était faite depuis longtemps et qui portaient la plupart du temps leur fardeau avec une honte discrète. S'ils étaient influents, puissants (ministres de la justice ou ministres du culte), on laissait faire, on se contentait d'en faire mention à mots couverts, on utilisait l'expression «vieux garçon» pour parler d'eux, la bonne société de la capitale fédérale revêtait son manteau de pudeur hypocrite pour faire semblant de ne rien voir. Surtout quand il s'agissait de curés. On nommait *secrétaires* les jeunes hommes qui les accompagnaient en attendant qu'ils aient le dos tourné pour pouffer de rire ou imiter des gestes féminins qu'on leur supposait parce que la plupart du temps ils n'en montraient pas la moindre trace. Au contraire, ils se sentaient souvent obligés d'incarner une certaine forme de virilité, courtisaient les femmes, parfois même avec une ardeur un peu ridicule : ils savaient qu'on savait et jouaient d'hypocrisie et de faux-semblants pour se faire accepter. S'ils étaient plus jeunes, toutefois, on ne se gênait pas pour se moquer d'eux en leur présence, à mots à peine couverts, parce qu'on les imaginait incapables – trop faibles ou trop peureux – de réagir comme des hommes, ce qui donnait parfois lieu à des affrontements assez violents au beau milieu d'un bal ou d'un gala. La chose n'était jamais dite, le mot jamais prononcé, mais tout le monde savait toujours pourquoi untel et untel se chamaillaient ou s'insultaient. S'ils n'avaient pas de relations, s'ils étaient mal protégés, on se débarrassait vite d'eux, ils disparaissaient promptement, même s'ils avaient du talent pour les tâches qu'on leur avait confiées. S'ils étaient *secrétaires* d'hommes puissants, on se contentait de leur donner un coup d'épaule en passant ou de leur faire de temps en temps un sourire entendu dont ils comprenaient très bien la teneur en guise d'avertissement ou même de menace ouverte.

Ces jeunes secrétaires n'étaient pas considérés comme des prostitués, cependant, mais comme des protégés. Tandis que le magnifique spécimen d'homme qui se tient devant elle, jambes croisées, verre à la main, à l'aise dans son costume bien coupé et ses chaussures sans doute italiennes, vient de lui avouer un métier dont elle ne soupçonnait même pas l'existence.

Elle jette la tête en arrière, rit parce qu'elle ne sait pas quoi faire d'autre.

« Si je comprends bien, vous êtes un de mes concurrents. »

Il rit à son tour. Son rire, lui, est moins forcé. Il semble vraiment s'amuser de ce qu'il croit avoir déclenché chez elle.

« Mais ma clientèle est différente de la vôtre. »

Elle a envie d'enlever son chapeau sans demander la permission, comme au salon de thé, plus tôt. Elle a chaud, elle manque d'air.

« Si j'avais su que vous existiez, j'aurais pu vous envoyer certains de mes clients, au fil des années. Parce que des fois… je sais pas… je soupçonnais que-qu'chose chez certains d'entre eux…

— Que vous condamniez?

— Pas du tout! Chus pas bornée! Pas avec le métier que je fais! Pis que vous faites vous aussi!»

Il est debout, se plie en deux devant elle.

« Excusez-moi. Je voulais pas vous insulter.

— Assoyez-vous donc pis commandez-nous donc d'autres drinks. »

Il fait signe au serveur qui se précipite vers le bar.

« J'vous ai choquée?

— Soyez pas ridicule. Avec la vie que j'ai menée… Vous m'avez pas choquée, mais vous m'avez surprise…

— Vous voulez en savoir plus?

— J'veux en savoir plus.

— Vous risquez d'être désappointée. C'que je vis doit pas être ben différent de ce que vous avez connu… »

En effet, ce qu'il lui raconte ressemble d'une façon étonnante à ce qu'elle a vécu elle-même pendant près de trente ans : la goujaterie des hommes reste, semble-t-il, la même quelle que soit leur préférence sexuelle. Albert a connu les mêmes humiliations, les mêmes adulations, la même adoration démesurée au point de faire peur, la flagornerie intéressée, aussi, les post-coïts tristounets ou empreints de culpabilité honteuse à cause de la profession exercée par le client – la famille, femme et enfants –, la violence parfois, mais plus rarement qu'elle parce qu'Albert est un homme bien bâti, musclé, qu'on n'ose pas trop provoquer, l'argent, bien sûr, beaucoup, mais, dans son cas à lui, vite dépensé parce qu'il a été un panier percé pendant toute sa jeunesse.

«J'en suis à l'âge où je devrais commencer à penser à me retirer, comme vous, dignement pis sans remords, mais j'ai pas été prévoyant, j'ai pas su voir venir, j'ai commencé à ramasser mon argent un peu tard pis j'me retrouve à hanter encore les corridors d'hôtels, les salles obscures pis les parcs à la recherche de clients potentiels parce que j'ai pas encore assez d'argent pour me sentir en sécurité. J'en trouve encore, des clients, des tas, y a pas beaucoup de gars dans mon genre, pis j'arrive à peine à satisfaire à la demande, mais, comme on dit, chus pus ce que j'étais, je le sais, j'me vois vieillir, je sens venir avec horreur le jour où je pognerai moins, où je pourrai pus faire illusion. C'est peut-être la plus vieille profession du monde, mais c'est pas une vie, hein…»

Elle a terminé son deuxième Between the Sheets. Elle a bu à petites gorgées en l'écoutant. C'est la première fois de sa vie qu'elle reçoit les confidences de quelqu'un qui, comme elle, a gagné sa vie en se prostituant, et c'est un homme.

«C'est vrai que c'est pareil. Qu'on a eu la même vie…

— … excepté que moi j'ai pas passé trente ans dans une cage dorée dans les hauteurs d'un grand hôtel. J'ai connu les grands hôtels, les plus grands, les plus chic, à Montréal pis ailleurs, mais toujours un soir à la fois.

— Vous en auriez voulu une, une cage dorée?

— Quand je pensais à vous, pendant mes visites à Ottawa, à votre fameuse suite au Château Laurier, à la… appelons ça la stabilité, faute de trouver un autre mot, que ça représentait… oui, je vous enviais. C'est vrai, pour les Cherry Delights?

— Comment vous savez ça?

— Tout le monde le sait. C'est une des légendes les plus répandues d'Ottawa. Même le monde qui ont jamais croisé une guidoune de leur vie sont au courant… La suite, les Cherry Delights… Savez-vous ce que ça représentait pour quelqu'un comme moi? Moi, j'me contente d'un petit appartement au centre-ville… C'est là que j'emmène mes clients les moins argentés. Ceux qui payent moins cher parce qu'y me plaisent, ceux que je ramasse à la fin d'une nuit quand rien de mieux s'est présenté… Dix piasses, c'est dix piasses, hein…»

Il décroise les jambes, se penche vers elle, pose son verre vide sur la table.

«Quand je vous ai vue, tout à l'heure… J'en revenais pas! Ti-Lou elle-même! J'vous ai reconnue de dos, c'est vous dire… J'arrivais du cinquième étage où j'avais laissé un père de famille en larmes à cause de ce qu'y venait de faire avec moi, j'avais besoin d'un remontant avant de repartir en chasse, pis j'ai vu le petit trou de cul qui vous empêchait de rentrer ici…

— C'est pas lui qui m'empêchait. Y m'expliquait pourquoi c'était comme ça… Vous avez pas ce problème-là, vous, on vous empêche pas d'entrer dans les bars…

— On m'empêcherait si on savait ce que j'vas y faire…

— Mais vous, ça paraît pas…

— Vous non plus… Ça paraît pas, vous avez trop de classe…

— En tout cas, merci d'être venu à ma rescousse…

— C'est un honneur. C'est un des plus beaux moments de mes dernières années… Voulez-vous un autre drink ?

— Non, j'ai assez bu. Y faudrait que j'aille manger. J'espère juste qu'on n'empêche pas les fausses veuves de manger toutes seules à la salle à manger du Windsor… »

Il hésite avant de répondre. Il porte la main à son cou comme une femme qui ne veut pas qu'on voie ses rides naissantes ou les vilains plis qui ont commencé à apparaître sous son menton.

« Me feriez-vous l'honneur… Me feriez-vous l'honneur, madame Ti-Lou, de manger avec moi ? Leur chateaubriand bouquetière est célèbre dans tout Montréal pis j'y ai jamais goûté. Laissez-moi vous payer la traite. S'il vous plaît. »

La salle à manger ressemble à un large corridor dont on aurait changé la vocation pour accommoder une grosse noce : quatre rangées bien droites de tables sous un haut plafond décoré à outrance de caissons de couleur pastel et duquel pend l'incontournable lustre, emblème de richesse et de bon goût dans un certain monde. Tout est clinquant, donc on doit bien y manger !

Ti-Lou l'a tout de suite détestée ; elle a l'impression de manger dans une caserne militaire déguisée, pour faire illusion, en restaurant chic.

C'est vrai, cependant, que la nourriture y est excellente.

Le chateaubriand était parfait : la viande saignante, les légumes croquants, la sauce ni trop épaisse ni trop liquide. Et le vin, choisi pour eux par un sommelier snob et condescendant, accompagnait divinement le plat. Ti-Lou a peu parlé pendant le repas, elle a laissé Albert errer à travers ses souvenirs si semblables aux siens. Il l'a fait rire avec les excentricités, parfois étonnantes, de certains clients, émue en parlant de la solitude des êtres comme eux, les parias dorés, condamnés par ceux-là mêmes qui les adulent, puissants dans une société souterraine d'intrigues et de trahisons, démunis et désarmés dans le monde officiel où on fait comme s'ils n'existaient pas. Des fantômes de la nuit – ou du petit matin – dont on oublie l'existence aussitôt qu'on les a quittés. Ti-Lou avait l'impression de s'entendre parler, d'avoir devant elle un miroir dont le sujet, une espèce de jumeau masculin, plus jeune mais conscient lui aussi de ce qui l'attendait, lui racontait sa propre histoire. Combien de fois elle aurait eu besoin, elle aussi, de se confier comme il le faisait sans jamais trouver d'interlocuteur parce que les gens qu'elle fréquentait – tous des hommes, sans exception – ne désiraient qu'une chose d'elle.

Le dessert terminé, le café servi, il s'est allumé une cigarette après lui en avoir demandé la permission.

« J'avais une autre raison que de faire durer le plaisir de votre compagnie en vous demandant de souper avec moi… »

Elle prend sa dernière gorgée de café, froide et amère, repose la tasse en porcelaine vert d'eau si mince qu'on peut voir la lumière à travers les entrelacs du motif floral qui la décore.

« Si vous voulez m'emprunter de l'argent, j'vas vous détromper tu-suite. J'en ai, c'est vrai, mais je l'ai ramassé pour mes vieux jours pis j'ai ben peur que mes vieux jours soient arrivés… Mon argent va servir à mes vieux jours à moi, pas à ceux des autres… »

Il éteint sa cigarette dans le cendrier aussi délicat et aussi orné que la tasse à café de Ti-Lou.

«Vous me connaissez pas, madame Ti-Lou, mais ça me surprend quand même que vous pensiez ça de moi... J'ai-tu l'air d'un profiteur?

— J'ai pas dit que je le pensais, j'ai juste dit ça au cas...

— Ben, rassurez-vous. J'sais me débrouiller. Même si j'me sus pris un peu tard, j'vas y arriver, moi aussi. Non, écoutez... J'voulais vous parler d'autre chose... Je sentais depuis toujours qu'on pourrait faire un bon team, nous deux...

— Un bon team? Vous voulez qu'on s'associe? J'vous répète depuis qu'on s'est rencontrés que j'me sus retirée définitivement... Chus pas venue à Montréal pour m'associer avec quelqu'un, chus venue à Montréal pour me cacher, pour disparaître, pour vivre la vie plate de quelqu'un qui espère être capable de se reposer sans en être sûr! Chus venue crever dans l'anonymat, le vrai, celui où quelqu'un est tellement tu-seul qu'y se rappelle même pas que les autres existent! Chus tannée du monde, Albert, j'en veux pus!

— Écoutez-moi avant de monter sur vos grands chevaux...

— J'veux pas vous écouter, c'est ça que vous voulez pas comprendre...

— Juste deux minutes...

— O.K. Dans deux minutes, je lève la main pis je demande l'addition.

— C'est moi qui est supposé faire ça. C'est moi qui paye.

— Ben, c'est moi qui vas le faire si je me tanne! Pis c'est moi qui vas payer!»

Elle approche la main, lui tapote l'avant-bras.

« J'vous trouve ben sympathique, chus même assez contente de vous avoir rencontré, vous êtes drôle, vous êtes plein de vie, mais tout ça est fini, j'ai pus le goût de rencontrer du monde.

— Pourquoi?

— Comment ça, pourquoi?

— Ben oui. Pourquoi. Y a pas de raisons…

— Ça fait assez longtemps que vous pratiquez cette profession-là pour savoir qu'y en a des tas, de raisons…

— Écoutez-moi… Depuis qu'on est entrés dans la salle à manger, j'ai vu au moins deux hommes qui vous regardaient pis un qui me regardait, moi…

— Pensez-vous que je les ai pas vus, moi aussi? J'peux vous montrer les tables où ceux qui me regardent sont assis. J'peux même vous décrire les chapeaux de leurs femmes. Pas le vôtre, je sais pas où il est, parce qu'y m'intéresse pas. Mais si on était associés, qu'est-ce qu'on ferait? Hein? J'ai jamais eu à faire ça dans un restaurant, je commencerai pas aujourd'hui!

— Moi, ça serait facile, j'aurais juste à me lever pis à me rendre aux toilettes des hommes…

— Ben oui, c'est toujours plus facile pour les hommes. Même pour ça, ça a l'air!

— On pourrait s'organiser, tous les deux… faire des plans. Vous pourriez faire semblant d'aller télépho-ner, je sais pas, pendant que je ferais le niaiseux qui se doute de rien… Vous vous laisseriez suivre, abor-der, vous prendriez rendez-vous…

— Vos deux minutes achèvent, Albert, pis jusque-là sont pas ben ben convaincantes…

— Vous arrêtez pas de m'interrompre.

— En parlant d'interrompre, v'là le maître d'hôtel. Voulez-vous quequ'chose d'autre? »

Albert se contente de demander l'addition.

« J'vois que ça sert à rien… Vous voulez pas m'écouter.

— Ben non, je veux pas vous écouter, c'est évident que je veux pas vous écouter… Pourquoi j'vous écouterais ? C'que vous avez à m'offrir m'intéresse pas !

— Ça vous intéresserait pas de faire plus d'argent ?

— Non. J'pense que j'en ai assez.

— On en a jamais assez.

— À votre âge, c'est vrai. Moi, chus capable de me contenter de peu à partir d'aujourd'hui.

— Êtes-vous sûre ? Après le train de vie que vous avez mené ? »

Ils se taisent parce que le garçon revient avec l'addition. Qu'il pose devant Ti-Lou.

Court moment de gêne.

Albert s'empare de l'addition.

« C'est moi qui paye ! »

Le garçon se plie en deux, rouge comme une pivoine.

« Excusez-moi, j'avais cru… »

Et il s'éloigne sans presque se redresser.

Albert pose de l'argent, beaucoup, semble-t-il, sur l'addition.

« C'est ça que vous voulez ? Passer pour celle qui paye à partir d'aujourd'hui ? »

Il pousse trop brusquement l'addition qui tombe par terre avec les billets de banque. Il ne se penche pas pour les ramasser.

« On serait pas obligés de travailler tout le temps, madame Ti-Lou. Moi oui, c'est vrai, j'en ai besoin, mais pas vous ! Arrondir les fin de mois, comme on dit, ça vous intéresse pas ? On pourrait… on pourrait se rencontrer dans un grand hôtel sous prétexte de manger ensemble, y a pas juste ici, y a le Ritz, y a le Mont-Royal, y en a plein !

— J'ai jamais fait les hôtels, je commencerai pas à mon âge...

— Qu'est-ce que ça peut faire, vous êtes loin de chez vous...

— Y finiraient par nous reconnaître... dans les hôtels, dans les restaurants...

— On changerait de place chaque fois! On reviendrait juste après des mois...

— Pis on ferait ça sur place? On monterait avec les clients dans les chambres?

— C'est ce que je fais déjà...

— J'ai jamais eu à faire ça, Albert! Jamais!

— Faites-le pour le fun! Faites-le pas sérieusement!»

Elle se lève à demi de sa chaise. Elle va partir. Albert la retient en lui prenant la main.

«Je sais ce que vous allez me dire. Vous avez toujours fait votre métier sérieusement. J'vous demande pas de changer... Ce que je voulais dire... C'est la façon de... de l'aborder que vous pourriez changer, madame Ti-Lou! Vous seriez pus obligée de le faire tous les jours, on s'appellerait, on se donnerait rendez-vous, vous me diriez oui ou non, on irait manger dans un grand hôtel ou ben dans un grand restaurant...»

Elle retire sa main de la sienne, se tourne pour quitter la table.

«Le monde commence à nous regarder... Suivez-moi, on va aller se promener dehors si on veut continuer à parler...»

C'est une soirée d'avril plutôt douce. Bientôt mai, les bourgeons qui éclatent, l'odeur du lilas qui fait monter les larmes aux yeux, l'espoir enfin définitif de jours plus longs, à la chaleur sèche ou humide, de vêtements légers et de promenades comme celle-ci, si agréables parce que sans but.

Ils ont déjà fait le tour du square Dominion deux fois. Ils ont à deux reprises croisé cet homme qui promenait son chien et que Ti-Lou avait aperçu de la fenêtre de sa suite, plus tôt. Ti-Lou s'est dit qu'il promenait son chien bien longtemps... Était-il en fin de compte à la recherche d'une femme comme elle, d'un homme comme Albert? Le square Dominion était-il hanté par les hommes comme Albert? Et comment pouvait-on partir avec quelqu'un ramassé dans un parc? Surtout avec le regard que celui-là jetait sur elle lorsqu'ils se croisaient. C'était la première fois qu'elle pensait à des hommes comme Albert. Avant ce soir, ils étaient des entités un peu irréelles auxquelles elle n'avait jamais eu affaire... Elle l'a regardé à la dérobée à plusieurs reprises. Bien des femmes se seraient damnées pour lui. Elle-même, plus jeune... Elle s'appuyait à son bras. Aucune tension sexuelle ne passait entre eux. Ça faisait du bien.

Pendant ce temps-là, Albert faisait des projets. Il planifiait des sorties folles qui se terminaient toutes par une petite fortune partagée à deux, l'argent dépensé en restaurant remboursé au triple ou au quadruple par ce qu'il appelait «la recette de la soirée» en riant. Ils auraient du fun et ils feraient de l'argent!

Elle l'a laissé faire. Ce qu'il offrait était plutôt ingénieux, et tentant, mais elle restait inébranlable. Du moins le croyait-elle. Elle allait le revoir, cependant, elle allait lui donner son adresse, le prévenir quand elle ferait installer le téléphone, mais pour ce qui est du reste... Bof, une fois de temps en temps... Pour arrondir les fins de mois... Pour le fun... Non. Ne pas penser à ça. Pas tout de suite, en tout cas.

Elle savait que ce n'était pas gentil de sa part de le laisser rêver, de lui donner de l'espoir. Une chose la retenait de le virer de bord, de le décourager, de lui dire un non irrévocable et sans appel : pour la première fois depuis ses premières visites au docteur McKenny, elle avait l'impression d'avoir trouvé cette denrée rare dont la vie avait été si avare : un ami.

QUATRIÈME HASARD

Une virago d'Ottawa

En sortant de l'ascenseur, au rez-de-chaussée, elle se jette sur le premier groom qu'elle croise.

« Excusez-moi. La salle à manger, c'est où ?

— On en a deux, madame, une juste pour le matin, pis une autre pour le midi pis le soir…

— C'est assez évident que je cherche pas celle du matin, hein ? »

Ti-Lou regrette aussitôt ses paroles. Surtout le ton qu'elle a utilisé.

« Excusez-moi, j'ai faim pis ça me rend de mauvaise humeur. »

Le groom soulève son petit caluron rouge.

« C'est ben la première fois qu'une cliente s'excuse… Suivez-moi, j'vas vous montrer. »

Elle lui emboîte le pas.

« Y a pas grand monde à cette heure-là… Votre mari va venir vous rejoindre ? »

Elle hausse les épaules.

« Que c'est que tout le monde a à me parler de mon mari ? Y est mort, mon mari ! Jamais je croirai qu'y vont m'empêcher d'entrer dans la salle à manger parce que chus tu-seule !

— Pantoute. C'est pas ce que je voulais dire… »

— Excusez-moi encore une fois… Je sais pas ce que j'ai…

— Mon Dieu, deux fois! Va falloir que je fête ça!»

Au bout de ce qui s'appelle la Peacock Alley, une galerie marchande qui sépare les deux immenses salles de bal, se trouvent le bar et les deux salles à manger. Ti-Lou se dit qu'elle n'y serait jamais arrivée toute seule et tend un billet de un dollar au groom.

«C'est trop, madame…

— Ben non, c'est pas trop. Surtout que j'ai été bête avec vous…»

Il prend l'argent, salue bas, s'éloigne.

Après s'être fait demander une fois de plus par le maître d'hôtel si son mari va venir la rejoindre, Ti-Lou se retrouve attablée dans un coin retiré de la salle à manger. De toute évidence, les femmes seules ne sont pas les bienvenues. En tout cas, elles ne sont pas «souhaitées».

Elle commande un verre de vin blanc et une douzaine d'huîtres. Pour commencer. Elle verra après. Le garçon, pour une raison d'intendance, prétend-il, insiste un peu pour qu'elle commande son repas au complet tout de suite, elle lui répond qu'elle ignore si elle prendra autre chose et que, de toute façon, comme la salle à manger est presque vide, elle doute qu'il y ait quelque problème d'intendance que ce soit. Cette fois, elle ne regrette pas ses paroles. Ni son ton.

Il s'éloigne, l'air bête. Elle se dit en souriant que son pourboire ne sera pas très élevé.

Le vin arrive presque aussitôt. Bon. Frais. Elle ferme les yeux quelques secondes. Soupire. Ne pas trop penser à ce qui l'attend le lendemain matin. Le vrai changement de vie. La vraie solitude après la fausse vie publique. Elle a beaucoup été vue en public, mais elle s'y est rarement mêlée : déesse dans la chambre à coucher, paria partout ailleurs. Lorsqu'elle va refermer la porte de son appartement, le lendemain matin… Un petit frisson. C'est tout de même un peu radical, non ? Cette décision ? Elle aurait pu faire ça graduellement, pourquoi s'est-elle sentie obligée de tout sacrer là d'un seul coup ? Le ras-le-bol était-il devenu si insupportable ? Oui. Ah oui. Elle pense à ce qu'elle serait en train de faire si elle était toujours au Château Laurier et sent venir un petit frisson qui, toutefois, ne se concrétise pas. Le long bain avant les crèmes de toutes sortes et le parfum au gardénia qui enlève toute résistance aux hommes. L'attente que le téléphone sonne pour annoncer le premier visiteur. La déception, la plupart du temps, devant ce qu'elle devra subir pendant les heures qui viennent. L'odeur écœurante du cigare, après, les rires gras, les farces graveleuses, les tapes sur les fesses comme si elle était une jument, l'argent laissé sur la table de chevet…

Elle prend son verre d'eau glacée, le passe sur son front.

C'est fini. Tout ça est fini. Mais pour être remplacé par quoi ? Une femme à sa fenêtre ou calée au fond d'un sofa, se frottant la jambe qui lui fait de plus en plus mal ? Des livres qui lui tombent des mains ? Des magazines dont la superficialité ne l'intéresse plus parce qu'elle n'a plus à penser à son apparence ?

Lorsque les huîtres arrivent, elle est sur le point de demander un deuxième verre de vin. Ce qu'elle fait parce qu'elle sait qu'elle n'en aura pas assez pour passer à travers son plat de coquillages.

Elles sont belles, dodues, juteuses et, le plus important, elles ne sont pas du tout laiteuses comme souvent dans les restaurants d'Ottawa. La première, avec le vinaigre de vin et l'échalote hachée, lui pince un peu l'intérieur de la bouche. Ça goûte la mer. Elle se revoit sur la plage de Kennybunk en compagnie… de qui, donc? Elle n'arrive même plus à retrouver sa silhouette… Elle sait qu'ils portaient tous les deux du lin blanc, mais…

Elle sursaute. Quelqu'un vient de s'asseoir en face d'elle. Elle a vu une ombre, une main retirer la chaise. Elle lève les yeux.

C'est une maîtresse femme. Massive. Carrée d'épaules autant que de menton. Le buste arrogant et la bouche méprisante. Une peau couleur de suif. Tout ce qu'elle porte, qui se veut jeune et à la mode, souligne cependant le ridicule de cette femme qui fait des efforts consternants pour paraître moderne : le chapeau cloche orné d'une aigrette noire et raide qui semble vouloir s'échapper vers le plafond, la robe pailletée vert émeraude serrée sous les bras et soulignant les bourrelets, les bijoux trop nombreux, trop lâches s'éparpillent sur sa vaste poitrine, le maquillage pâle lui donne un air de clown triste et le rouge à lèvres grenat suggère la bouche touchée par les engelures du froid et qui a du mal à dégeler.

C'est aussi l'épouse d'un des plus fidèles clients de Ti-Lou, un sénateur anglophone qui a fréquenté le Château Laurier pendant près de vingt-cinq ans et qui, au fil des années, a dû dépenser une petite fortune en Cherry Delights, en fleurs et en parties de jambes en l'air.

Ti-Lou n'arrive pas à retrouver le prénom de cette femme. Elle en a pourtant entendu parler, toujours en mal, pendant une grande partie de sa vie. Theresa? Madeleine? Connie?

En tout cas, Theresa, Madeleine ou Connie la regarde avec une telle fureur que Ti-Lou comprend qu'elle sait tout, qu'elle a peut-être toujours su, et que sa haine pour elle est sans limite. Presque comique, d'ailleurs. Si elles n'étaient pas dans un lieu public, Ti-Lou lui dirait de slaquer, un peu, d'en revenir, qu'elle lui a rendu service parce que, d'après son mari, elle n'était pas très portée sur la chose, qu'elle lui a épargné pendant longtemps des assauts qu'elle redoutait et qui la dégoûtaient. Qu'elle devrait en fin de compte la remercier…

Juanita! Juanita St-Clair! Comment a-t-elle pu oublier un nom pareil! Elle le crie presque, se retient à temps. Où a-t-elle pêché ce nom-là, d'ailleurs? Elle est sûrement la seule femme de sénateur à s'appeler Juanita à Ottawa. Une Latino, Cubaine, Mexicaine, Guatémaltèque, qui a renié ses origines et surtout ses coutumes pour épouser celles, malsaines, toxiques, de son mari? Une énorme dot venue du Brésil ou d'Argentine a-t-elle grimpé jusqu'à Ottawa pour sceller quelque entente suspecte?

Juanita St-Clair ne parle pas encore. Elle se contente de fusiller Ti-Lou du regard. Peut-être cherche-t-elle les mots pour exprimer le mépris qu'elle ressent pour elle.

Ti-Lou, en femme qui ne s'en laisse pas imposer, décide de la défier, pour le plaisir de la chose. Elle prend une huître, y jette quelques gouttes de vinaigre de vin et dit, en français:

«Si vous me permettez, Juanita, j'vas continuer à manger mes huîtres. J'les aime froides, pis la glace commence à fondre. Y m'en reste onze, j'voudrais pas que les dernières goûtent la vase…»

Et aussitôt qu'elle ouvre la bouche, tout de suite après cette provocation, Juanita St-Clair devient lyrique. Les mots qui sortent d'elle sont étonnants de précision : non seulement elle sait tout des rencontres de son mari avec Ti-Lou, mais c'est comme si elle y avait assisté ! On dirait presque qu'elle ressent un plaisir maladif à les décrire. Le dégoût qu'elle a pour la profession de Ti-Lou sort en vagues immenses, en phrases sans fin, alambiquées, elle utilise des épithètes anglaises que Ti-Lou ignorait, elle est à la fois vulgaire et vertueuse, vulgaire par ce vocabulaire surprenant pour une femme de sa caste et vertueuse par ses réactions, de toute évidence sincères, à ses propres paroles. Elle se vide le cœur une fois pour toutes et ce qu'elle étale devant Ti-Lou, l'ancienne et peut-être encore actuelle maîtresse de son mari, est d'une grande laideur. La rancœur le dispute au dégoût et au mépris. Elle déparle par bouts, elle éructe, elle fulmine, mais toujours à voix basse. Les quelques dîneurs qui les entourent doivent penser que deux vieilles amies qui ne se sont pas croisées depuis longtemps viennent de se retrouver par hasard. Parce que tout au long de son monologue, Juanita St-Clair sourit. De près on voit bien que c'est un sourire contraint, qu'elle a envie de mordre son interlocutrice, mais de loin il doit sans doute tromper son monde.

Pendant ce temps, Ti-Lou savoure ses huîtres. Elle va même jusqu'à faire du bruit en mangeant pour enrager encore plus Juanita. Elle réussit parce que vient un moment où elle la voit reprendre son souffle pour s'empêcher de lui grimper dans le visage devant tout le monde. Elle le souhaite presque. Elle a envie de frapper cette grosse douairière, tout à coup, de faire branler sa graisse, de lui arracher son aigrette, de lui effacer d'une taloche le grenat qui tache ses lèvres. Puis elle se dit, en avalant sa dernière huître, qu'en fin de compte,

Juanita n'est qu'une femme trompée, sans doute blessée dans son orgueil, qui a dû, pendant des années, ravaler sa rancune et sa rage, une victime, Juanita St-Clair est une victime. Une autre. Comme toutes les épouses de ses clients. Tant de femmes trompées à qui elle ne pensait jamais !

Essayer de lui expliquer ? À quoi ça servirait ?

Elle la laisse donc parler en terminant son deuxième verre de vin, sans jamais l'interrompre et en souriant elle aussi.

Elle finit par la trouver presque sympathique et se demande ce que Juanita répondrait si elle lui offrait son amitié.

Le garçon vient lui demander s'il y aura une suite, elle répond que non, elle a même le front de demander à Juanita si elle veut un verre de vin. Puis réclame l'addition. La femme du sénateur St-Clair interrompt sa harangue pendant la courte visite du garçon, puis la reprend aussitôt qu'il a tourné le dos pour s'éloigner de la table.

Son monologue terminé, elle reste assise au lieu de se lever et de quitter la table en se drapant dans sa dignité offensée. Tout le temps qu'elle parlait, elle regardait Ti-Lou, elle s'est même penchée au-dessus de la table à quelques reprises pour donner du poids à ce qu'elle disait ; maintenant qu'elle s'est rendue au bout de ce qu'elle avait à dire, toutefois, on dirait qu'elle manque d'énergie, que la force qu'elle a mise dans ses déclarations de haine, son aveu de frustration, a disparu d'un seul coup, au point qu'elle se retrouve incapable de se relever. Ti-Lou a l'impression de la voir se dégonfler sous ses yeux. Ne manquent plus que les larmes, les épaules secouées par les sanglots, le mouchoir de dentelle pressé contre les yeux, la morve qui coule.

Lui venir en aide? Lui ménager une sortie honorable en quittant la table avant elle quand l'addition sera payée?

Non.

Ti-Lou laisse le silence s'installer entre elles. Si Juanita regrette certaines choses qu'elle vient de lui dire ou si elle manque vraiment de force, c'est son problème. Et si elle espère que sa présence pèsera sur elle comme un reproche vivant qui refuse de disparaître, elle se trompe. Ti-Lou a la conscience en paix, elle a tout son temps et elle ne quittera pas la table de la salle à manger tant que Juanita St-Clair ne sera pas partie.

Une guerre des nerfs? Soit. Elle est prête à passer des heures assise en face de la femme du sénateur St-Clair. Elle continuera à boire du vin, elle bâillera, elle jouera avec ses couverts, pliera et dépliera sa serviette de table, elle retouchera son maquillage, mais elle ne se lèvera pas la première. Elle refuse d'avoir l'air de celle qui se sauve ou qui est chassée.

L'addition arrive, Ti-Lou sort des billets de son sac, les pose sur la nappe. Le garçon s'éloigne en fronçant les sourcils. La dame qui parlait tant s'est tue, celle qui ne disait rien n'en dit pas plus. Qu'est-ce qui se passe à la table 8?

Au bout de dix longues minutes – qui passent plus lentement qu'elle ne l'aurait cru –, Ti-Lou se rend compte du ridicule de la situation et décide de faire une petite concession. Elles ne vont tout de même pas passer la nuit attablées dans la salle à manger de l'hôtel Windsor en se regardant en chiens de faïence! Tout a été dit, la scène est terminée, il faut trouver une conclusion satisfaisante pour les deux protagonistes. Elle se redresse sur sa chaise, prend ses gants qu'elle avait pliés au fond de son sac, commence à les enfiler. Elle parle en anglais pour être sûre que Juanita va comprendre.

« Écoutez, madame St-Clair. J'veux pas avoir l'air d'être chassée, vous voulez pas être la première à vous lever, pourquoi on le fait pas en même temps ? On va faire comme les enfants, on va dire un, deux, trois, go… À go, on se lève toutes les deux, on se tourne le dos, je sors de la salle à manger pis vous retournez à ce que vous mangiez qui a amplement eu le temps de figer dans votre assiette… D'accord ? »

Juanita St-Clair ne répond pas.

Ti-Lou se penche au-dessus de la table.

« Madame St-Clair. J'viens de nous trouver une porte de sortie à toutes les deux… Je sais que vous voulez pas plier, mais je vous préviens que chus capable de vous tenir tête le temps que ça prendra. J'ai une tête de cochon, pis je vous laisserai pas gagner ! Pis je sais que vous avez pas non plus envie d'un scandale… »

Juanita St-Clair penche la tête après avoir fait un petit signe affirmatif.

Ti-Lou a terminé d'enfiler ses gants et replace son chapeau qu'elle a gardé pendant tout le repas.

« Bon. Tant mieux. Parce que ça risquait d'être long… Mais avant de partir, laissez-moi vous dire une chose… Je comprends votre réaction, j'aurais probablement fait la même chose à votre place. Si ça vous a fait du bien, tant mieux. Vous avez fait ça avec beaucoup d'élégance et de discrétion. Mais comprenez bien que ça change rien pour moi. J'ai jamais eu de regrets, j'ai jamais connu de remords, et ce que vous m'avez dit change rien. J'ai jamais sollicité qui que ce soit, les hommes que j'ai connus sont tous venus à moi, si vous vouliez les garder, vous aviez juste à vous arranger pour le faire, vous autres, les femmes légitimes ! Toute ma vie j'ai répondu à une demande, un point c'est tout. »

Elle pousse sa chaise, prend appui sur la table.

« Bon, on y va. Un, deux, trois… go. »

C'est une soirée de printemps d'une étonnante douceur. Il a pourtant fait frais une bonne partie de la journée. Un parfum, qui ne peut pas être un parfum de fleurs, il est trop tôt dans la saison, a frappé les narines de Ti-Lou aussitôt qu'elle est sortie de l'hôtel. Trop énervée pour remonter tout de suite à sa chambre après la scène de Juanita St-Clair, elle a décidé d'aller se promener dans le square Dominion, en face.

Le portier a soulevé sa casquette rouge au liseré kaki.

« Vous voulez un taxi, madame ?

— Non, merci, j'veux juste aller prendre une marche en face…

— J'vous le conseillerais pas, madame…

— Pourquoi, c'est dangereux ?

— Non, mais… Une belle femme comme vous qui se promène tu-seule dans un parc, à cette heure-là… »

Elle sourit, lui tapote le bras.

« Avez-vous peur qu'on me prenne pour une guidoune ? »

Il soulève sa casquette une seconde fois.

« C'est pas ce que j'ai dit…

— Mais c'est ce que vous vouliez dire…

— C'que je voulais dire… Écoutez, y a un maniaque qui s'attaque aux femmes dans le centre-ville depuis quequ'temps…

— Chus capable de me défendre…

— Avec un rasoir, madame. On l'appelle le maniaque au rasoir… »

Elle a ri en descendant les marches de ciment.

«On dirait un mauvais roman noir... Les policiers de Montréal doivent se prendre pour Sherlock Holmes! Montréal est une ville trop petite pour avoir un Jack the Ripper, voyons donc! J'vous promets que j'vas être prudente!»

Elle peut apercevoir les étoiles, nombreuses et brillantes, à travers les bras encore dénudés des arbres du square Dominion. Dans quelques jours les bourgeons vont apparaître, dans quelques semaines ils vont éclater... La gaieté du vert tendre va remplacer la tristesse des gris et des bruns du début du printemps. Le gazon va pousser et on va avoir envie de s'y étendre.

Elle revoit les magnifiques soirées de mai au bord de la rivière Rideau. Les calèches qui allaient lentement, les rires qu'on entendait fuser, les choses illicites qui se passaient dans son phaéton et qui émoustillaient tant les hommes, les lumières d'Ottawa qui s'éteignaient une à une, toujours trop tôt... Ce qui amène Ti-Lou à repenser à Juanita St-Clair, la pauvre femme qui a eu le courage de l'affronter, mais pas jusqu'au bout. Pas jusqu'à l'insulter à voix haute devant tout le monde ou la frapper, une bonne gifle bien placée pour effacer une fois pour toutes les années de tromperie et d'humiliation. Comment se sent-elle, maintenant? Soulagée? Frustrée de n'être pas allée assez loin dans l'injure ou dans la violence?

Pendant des années les femmes de ses clients n'ont été pour elles que des ombres furtives aperçues dans des bals ou au théâtre, une seule femme, en fait, floue, éthérée, un prototype qui la considérait sans doute comme une ennemie, en tout cas comme une rivale, mais sans visage, sans personnalité propre, une silhouette menaçante – parce qu'elle entendait les commentaires qui se faisaient sur son passage –, dont il lui arrivait d'avoir peur tant la haine qu'elle ressentait de sa part était parfois violente, mais jamais une victime. Alors qu'en écoutant la femme du sénateur St-Clair, ce soir… Qu'est-ce que c'est que cette nouvelle impression, ce sentiment neuf qu'elle ressent? Pour les femmes comme Juanita St-Clair? Comment est-ce que ça peut s'appeler? De la compassion? Elle s'est souvent moquée de ces femmes trompées dont elle aimait imaginer qu'elles étaient ridicules, alors pourquoi, tout à coup… Elle s'arrête dans l'allée centrale du square Dominion, juste devant le monument aux héros de la guerre des Boers. Est-elle en train de trouver Juanita St-Clair sympathique? Qu'est-ce qui lui prend? Cette pathétique dondon sous sa ridicule aigrette, corsetée dans une robe pensée et faite pour quelqu'un d'autre, la touche et l'émeut alors qu'elle, Ti-Lou, devrait se trouver offensée et même outrée qu'elle ait osé l'aborder? Elle se tourne vers l'hôtel qui brille de tous ses feux, de l'autre côté de la rue Peel. Juanita est-elle en train de manger un chateaubriand bouquetière ou un plat de fruits de mer? Et en compagnie de qui? Elle n'était sûrement pas avec son mari, elle n'aurait pas osé l'aborder… Ti-Lou a envie de retraverser la rue, de se précipiter dans la salle à manger, d'aller demander son fait à cette mégère… ou de s'asseoir devant elle et de lui offrir son amitié…

Tout à coup, elle aperçoit une silhouette sur sa gauche. L'homme qui promène son chien – depuis des heures, puisqu'elle l'a vu du haut de sa fenêtre, plus tôt dans la soirée – s'approche d'elle, tête baissée. Elle se dirige droit sur lui et l'apostrophe:

«Vous le promenez ben longtemps, donc, votre chien, vous! Ça y prend tout ce temps-là pour faire ses besoins? Si y est constipé, donnez-y quequ'chose, ça a pas de bon sens! Pis si c'est de la compagnie que vous cherchez, allez donc vous promener ailleurs! La rue Saint-Laurent est pleine de femmes faciles! Ça fait trois fois que je vous croise depuis quinze minutes, pis vous m'énervez! C'tu clair?»

Le chien s'est mis à japper après elle. Furieusement. Mais son maître n'a pas levé les yeux. Il semble même se renfrogner, comme s'il avait peur de Ti-Lou.

«C'pas clair? Vous voulez que je vous fasse un dessin? J'vous ai dit de me laisser tranquille! Allez-vous-en! Une femme a pas le droit de se promener après le souper? Tirez sur la laisse de votre maudit chien, là, pis sacrez votre camp! Tu-suite ou ben donc je crie au meurtre! Vous voyez, le portier de l'hôtel Windsor m'a entendue pis y regarde dans notre direction! Sauvez-vous donc avant qu'y appelle la police!»

L'homme tire sur la laisse de son chien qui continue à japper. Alors qu'il se tourne pour s'éloigner d'elle, Ti-Lou l'entend murmurer:

«Excusez-moi, madame. J'peux pas m'en empêcher...»

Lorsqu'elle arrive devant la porte de l'hôtel, le portier lui dit en soulevant encore une fois sa casquette:

«Y a une dame qui vous cherchait. A' m'a dit qu'a' vous avait vue sortir de l'hôtel... J'y ai dit que vous étiez partie vous promener. L'avez-vous vue?

— Non, mais je pense qu'un peu d'air frais va lui faire du bien...»

Le lendemain, tous les journaux de Montréal rapportent la même nouvelle en première page: LE MANIAQUE AU RASOIR FRAPPE ENCORE!

Il y est fait mention de l'assassinat, la veille, de la femme d'un sénateur d'Ottawa, madame Juanita St-Clair, dans le square Dominion, devant le Lion de Belfort.

Ti-Lou, qui avait quitté l'hôtel très tôt et qui n'avait pas lu les journaux, ne l'a jamais su.

CINQUIÈME HASARD

Un policier accommodant

La rue Peel et la rue de La Gauchetière sont encombrées de voitures, il n'y a plus d'odeur de crottin de cheval dans l'air, l'automobile a dû prendre le dessus depuis la dernière visite de Ti-Lou à Montréal. Des taxis sont stationnés devant la grande porte. Le portier de la gare s'empare des valises, son sifflet a déjà retenti pour attirer l'attention d'un chauffeur.

Ti-Lou tend un billet de un dollar au porteur qui soulève sa casquette.

« C'est trop, madame.

— Ben non, c'est pas trop. Vous m'avez attendue pendant que je prenais le thé, vous l'avez mérité.

— Ça m'a permis de prendre une pause...

— Ben, vous vous payerez une traite à ma santé, en plus, avec ça... »

Il s'éloigne après lui avoir fait une révérence assez comique.

Les bagages sont déjà dans le coffre de la voiture, le porteur tient la porte arrière, la casquette à la main.

Mais quelque chose ne va pas. Un doute. Elle ne sait pas quoi, ça ressemble à un léger vertige. Qui fait tout tournoyer autour d'elle. Un doute, c'est ça. Un doute l'assaille.

Le jeune porteur l'interroge.

«Vous prenez pas votre taxi, madame?»

Elle hésite, regarde chacun à son tour le chauffeur de taxi et le porteur. Qu'est-ce qu'elle ressent, au juste? Une menace? Non, une inquiétude vague mais déstabilisante. Elle essaie de s'imaginer arrivant à son nouvel appartement alors que la nuit sera peut-être tombée, l'étrangeté d'un lieu inconnu, un grand appartement après la relative exiguïté d'une suite d'hôtel, toutes ces portes qui donnent sur des pièces vides situées à peine au-dessus du niveau de la rue alors qu'elle vit depuis si longtemps dans les hauteurs…

Le chauffeur pose sa casquette sous son bras et s'approche d'elle.

«Vous avez fait bon voyage, madame?

— Excellent, merci.

— Vous revenez à Montréal ou ben vous êtes en visite?

— J'arrive. Pour m'installer.

— Ah oui? Vous avez pas grand bagages…

— Y vont suivre… Dans quequ'jours…

— Pis vous allez où, madame?»

Voilà, c'est le moment de se décider. Elle pourrait aller se réfugier dans une suite de grand hôtel – ce à quoi elle est habituée – ou prendre son courage à deux mains et… Elle se décide sans réfléchir.

«Sur le boulevard Saint-Joseph, entre Fabre et Garnier.»

Elle s'assoit enfin, le porteur referme la portière et la voiture démarre.

Le chemin est assez long entre la gare Windsor et le boulevard Saint-Joseph. En traversant presque de bout en bout la ville dans laquelle elle va désormais vivre, Ti-Lou ressent un léger vertige qui ressemble à un doute ou, plutôt, à un vague questionnement qui la dérange. Elle est venue se réfugier à Montréal, c'est vrai, s'y perdre, elle veut la paix, la tranquillité, mais va-t-elle les trouver dans ce fatras d'humains pressés qui courent en tous sens, ce branle-bas incessant – peut-on trouver le repos dans un endroit en perpétuelle effervescence ? –, n'aurait-elle pas dû rester où elle était, se trouver une petite maison dans un coin reculé d'Ottawa, un quartier où on ne la connaissait pas, et essayer de couler des jours heureux derrière une fenêtre aux rideaux de dentelle, terrée dans le mystère de sa disparition, clandestine dans une ville où elle a connu depuis longtemps une certaine célébrité ?

Non. Ottawa est derrière elle de façon définitive, elle n'y remettra jamais les pieds. Elle ne le regrettait pas quand le train a quitté la gare, elle ne doit pas le regretter maintenant qu'elle est rendue à bon port. Tout de même, cette foule qui court partout, ce bruit…

Le long de l'avenue du Parc, elle admire la toute nouvelle croix sur le mont Royal, cette croix lumineuse qu'on promettait et qu'on a mis cinquante ans à livrer. Le mont Royal est l'un des plus beaux parcs d'Amérique du Nord, semble-t-il. Il faudra qu'elle aille s'y promener. Elle regarde avec curiosité les boutiques de la rue Mont-Royal en passant, se dit que c'est là qu'elle fera sans doute ses courses, qu'elle viendra, dès le lendemain matin, refaire sa garde-robe. Au complet.

Elle sourit. Elle a l'impression d'être comme les reines de France qui, autrefois, lorsqu'elles arrivaient à la frontière pour se marier, devaient se dévêtir au complet, changer de vêtements, laisser derrière elles tout ce qui provenait de leur pays, jusqu'aux sous-vêtements les plus intimes. Ti-Lou suppose qu'elles ne gardaient avec elles que la dot pour la donner à leur nouvel époux, le roi. Elle tourne un peu la tête. Elle aussi traîne sa dot avec elle. Mais c'est pour la garder.

Elle a pourtant un peu changé de pays, elle aussi : elle a quitté la rigidité anglo-saxonne d'Ottawa pour se noyer, du moins essayer de se noyer, dans l'atmosphère latine, la turbulence échevelée, de la métropole du Canada, la ville qui a un peu la même réputation sulfureuse qu'elle…

Le chauffeur la regarde dans le rétroviseur.

« J'vas monter la rue Fabre pis tourner à gauche au boulevard Saint-Joseph pour que vous ayez pas à traverser pour rentrer chez vous… »

Elle le remercie d'un signe de tête.

La rue Fabre est bordée d'immenses arbres encore tout nus. Elle peut apercevoir le soleil, entre les branches sans bourgeons, qui s'apprête à se coucher derrière les maisons plutôt tristes.

Celle qu'elle va habiter, boulevard Saint-Joseph, trois étages munis de balcons ornés de rambardes de fer forgé, est en briques brun foncé, plus sévère que le souvenir qu'elle en gardait. C'est vrai qu'elle avait visité l'appartement un après-midi d'été de toute beauté alors que la façade de la maison était dissimulée derrière les branches des arbres, mais cette fin de journée, malgré le temps clément pour la saison, est empreinte de morosité faute de couleurs vives. Pas de vert nulle part, que du gris. Et le brun des briques. Des voitures passent devant chez elle à toute vitesse, klaxonnent ; elle se demande comment elle va pouvoir endurer ça. Mais, à la longue, on finit par les oublier, par en faire abstraction, pense-t-elle. Et, si elle se souvient bien, sa chambre à coucher est située au fond de l'appartement.

Le taxi payé, elle pousse la petite porte de la clôture qui ceint le minuscule parterre, monte les quatre marches qui mènent au perron. Elle dépose son sac de voyage, ses deux valises, ouvre son sac. Dans son portefeuille à deux compartiments, elle trouve le papier plié en quatre sur lequel elle a inscrit l'adresse et le numéro de téléphone du propriétaire de la maison, mais pas la clef de l'appartement. Un peu paniquée, elle se met à fouiller frénétiquement dans son sac. Tout est là, gants, mouchoir, rouge à lèvres, poudrier, parfum au gardénia, un deuxième portefeuille dont elle avait oublié l'existence... pas de clef, toutefois.

Elle essaie de se rappeler ses derniers gestes avant de quitter sa suite du Château Laurier. Elle ne se voit pas vérifier si la clef est à sa place, elle ne se souvient même pas de la dernière fois où elle l'a vue. Est-elle dans un autre sac, un autre portefeuille? Parmi les choses qu'elle a laissées derrière elle? Quel sac avait-elle lorsqu'elle a loué l'appartement? Et pourquoi le papier plié en quatre est-il là si la clef n'y est pas?

Est-elle idiote au point d'avoir oublié la clef de l'appartement à Ottawa?

Cette fois, c'est une vraie panique.

Elle s'assoit sur la dernière marche de l'escalier, vide son sac sur le plancher. Pas de clef. Elle fouille à l'intérieur, pas de déchirure dans la doublure, pas de faux pli non plus. Elle ne va tout de même pas défoncer la porte dès le premier soir! Elle prend son mouchoir, s'essuie le front, se mouche. Il faut qu'elle trouve une solution, sinon elle devra aller passer la nuit à l'hôtel... Elle va se lever pour aller sonner à l'appartement du dessus et demander au locataire l'autorisation d'utiliser son téléphone – dans l'espoir que le propriétaire sera chez lui et qu'il n'habite pas trop loin – lorsqu'une voix la fait sursauter.

« Y a-tu quequ'chose qui va pas, ma p'tite madame ? »

Un policier à cheval vient d'arrêter sa monture devant la maison. Trop préoccupée par son erreur ridicule et sa panique de moins en moins contrôlable, elle ne l'a pas entendu venir, même si les sabots du cheval devaient claquer fort sur l'asphalte du boulevard. Mais avec tout ce bruit…

Elle pense aussitôt aux deux sacs d'argent qui sont posés devant la porte de l'appartement. L'empêcher à tout prix de descendre de cheval, de lui offrir de l'aider, le renvoyer en prétendant que tout va bien…

« J'trouve pas ma clef, mais chus sûre qu'est là, quequ'part… Occupez-vous pas de moi, j'vas m'arranger… »

Il est déjà penché par en avant, il a levé la jambe, il va descendre, il va venir la rejoindre sur le perron…

« Dérangez-vous pas, je perds toujours mes clefs pis je finis toujours par les retrouver… »

Il accroche les rênes à un petit arbre. Le cheval s'ébroue, hennit. Le policier lui tend quelque chose. Un morceau de sucre ? Une pomme ? Il lui gratte ensuite le museau.

Ti-Lou ne peut pas s'empêcher de penser que c'est une bien belle pièce d'homme…

« Qu'est-ce que vous allez faire si vous la trouvez pas ? »

Elle cède tout d'un coup en oubliant ses sacs d'argent et commence presque sans s'en rendre compte à lui raconter son aventure, son voyage en train depuis Ottawa, sa traversée de Montréal en taxi, son arrivée ici, à l'appartement qu'elle a loué pour un an, son moment de panique quand elle a compris qu'elle a peut-être oublié sa clef… Elle parle trop, trop vite, trop fort, il va finir par la trouver suspecte…

Lorsqu'elle a terminé son récit – inutile, seule la dernière partie était essentielle –, il sourit en secouant la tête.

Elle montre la porte voisine.

« J'allais sonner chez les voisins pour leur demander la permission d'utiliser leur téléphone. J'ai le numéro du propriétaire… »

Il pousse la porte de la clôture, fait quelques pas vers elle.

Ce n'est pas juste l'allure que donne l'uniforme, il a une tête comme elle les aime : le visage carré, les yeux vifs, intelligents, la bouche gourmande ; une trace de naïveté juvénile éclaire ses traits, aussi, bien qu'il ait sans doute passé la quarantaine depuis quelques années. Pas beaucoup plus jeune qu'elle.

Elle ferme les yeux quelques secondes. Elle ne va quand même pas flancher devant les charmes d'un policier dans un moment pareil !

« C'est tout ce que vous avez comme bagages pis vous venez vous installer à Montréal pour un an ? »

Elle se lève, se dirige vers ses deux sacs. S'il demande à voir ce qu'ils contiennent, elle lui saute au visage !

« Le reste va suivre… Ça va arriver demain. Ça, c'est juste… C'est juste le nécessaire… »

Il s'est appuyé contre une des colonnes qui soutiennent le toit du balcon.

« Allez téléphoner, j'vas garder votre trésor pendant ce temps-là… »

S'il savait…

Elle fait semblant de rire.

« Un trésor, un trésor, c'est vite dit… C'est juste des vieilles affaires, des vieilles guénilles… »

Tais-toi donc! Il va finir par se douter de quelque chose!

Elle sonne chez le voisin d'en haut. Pas de réponse. Elle essaie chez celui du dernier étage. Elle s'explique à une vieille dame revêche qui refuse de la laisser monter chez elle parce qu'elle ne la connaît pas. Le policier doit intervenir et la vieille dame accepte à son corps défendant de laisser Ti-Lou utiliser son téléphone. Tout se fait si vite que Ti-Lou n'a pas l'impression que ça lui arrive à elle : l'appel, le propriétaire qui habite à cinq minutes de là, sa promesse de venir immédiatement même s'il ne semble pas en avoir envie – elle le dérange dans son souper, prétend-il –, la vieille acariâtre qui la détaille comme si elle était un morceau de viande sur un étal de boucher, son retour sur le perron devant son appartement, le beau policier qui n'a pas bougé de sa place et qui n'a pas l'air de vouloir s'en aller quand elle lui dit que tout va bien, que la clef arrive, que tout est réglé. Tout ça est trop absurde, elle est étourdie, convaincue qu'elle fait un mauvais rêve, qu'elle va se réveiller d'un moment à l'autre dans son grand lit au Château Laurier et qu'elle va éclater de rire.

« Vous me permettez d'attendre le propriétaire avec vous ? »

Que répondre? Elle ne peut pas refuser, en prend son parti, acquiesce. Une drôle d'odeur lui chatouille les narines. En levant les yeux, elle se rend compte que le cheval vient de pondre quelques pommes de route. Il ne manquait plus que ça.

Le policier rougit.

« Excusez-le. J'vas tout ramasser avant de partir… »

Il est très touchant dans sa confusion. Elle va lui demander comment il va faire pour ramasser tout ça, où est-ce qu'il va mettre ce qu'il aura ramassé, se ravise en se disant qu'il serait cruel de l'embarrasser davantage.

« Laissez faire... Y doit y avoir du monde qui sont payés pour faire ça, non ?

— Ben oui... Mais devant votre maison, comme ça... »

Le propriétaire survient sur les entrefaites. Ti-Lou avait oublié à quel point il est laid. Adipeux, bancal, la barbe mal faite, l'œil mauvais. Lorsqu'il arrive près d'elle, elle se demande s'il a pris un bain depuis la dernière fois qu'elle l'a vu, l'année précédente...

« J'ai pas rien que ça à faire, ouvrir des portes ! J'ai un plat de rognons de porc qui m'attend... »

À la mention des rognons de porc, Ti-Lou ne peut pas retenir un frisson de dégoût.

Le propriétaire s'en aperçoit.

« Tiens, une autre que ça écœure... Vous saurez que c'est délicieux... C'est pas beau à voir, mais c'est ben bon.

— J'en doute pas, mais je vous les laisse...

— J'vous en ai pas offert...

— Je le sais, c'tait une farce...

— Est-tait plate. »

Il ouvre la porte, la pousse sans ajouter un mot.

Elle le remercie d'un signe de tête.

« Si je comprends ben, la clef est restée à Ottawa ?

— Chus désolée, mais oui... J'vous remettrai celle-là quand j'en aurai fait faire une autre...

— Laissez faire, j'en ai d'autres. J'en garde plusieurs pour tous les appartements. Vous êtes malheureusement pas la seule à perdre vos clefs... Pis j'espère que vous êtes pas du genre à les perdre à tout bout de champ...»

Il se tourne en direction du policier qui a un peu plissé le nez lorsqu'il est passé à côté de lui.

«C'tait vraiment pas nécessaire d'appeler la police.

— J'ai pas appelé la police. Y passait devant la maison pendant que je fouillais dans ma sacoche... Y s'est offert à m'aider.»

Le propriétaire redescend les marches en haussant les épaules, puis aperçoit les cadeaux que le cheval a laissés sur l'asphalte.

«Si c'est pas ramassé demain matin, j'porte une plainte à la ville! Ça sent le yable, en plus!»

Et il s'éloigne en boitillant.

Le policier enlève sa casquette et s'éponge le front en souriant.

«Agréable personnage. Pis y est mal placé pour parler de senteur... J'espère que sa femme sent la même chose que lui, parce que sinon a' fait ben pitié...»

Un court silence s'ensuit. Ils sont tous les deux mal à l'aise. Visiblement le policier ne veut pas partir. Ti-Lou vient de jeter un coup d'œil furtif à sa main gauche. Pas d'alliance. Étonnant qu'un bel homme comme lui ne soit pas marié. Elle aurait bien envie de l'inviter à entrer, mais elle ne trouve pas d'excuse. C'est lui, en fin de compte, qui en trouve une.

«Allez-y, entrez, j'vas transporter vos bagages...»

Elle va refuser lorsqu'elle réalise que ce serait peut-être suspect. Il se penche, ramasse les deux valises.

«Mon Dieu! C'est ben pesant! Qu'est-ce que vous transportez, là-dedans, des lingots d'or?»

Elle fait semblant de rire.

«Non, faites-vous-en pas pour moi, ma fortune est à l'abri...»

Elle ignore pourquoi elle a dit ça, s'immobilise au milieu du corridor, inquiète qu'il lui pose une question sur le sens de ses paroles.

Il arrive derrière elle. Un peu trop près. S'excuse.

«X'cusez-moi. J'avais pas vu que vous vous étiez arrêtée…»

Si le propriétaire ne sentait pas bon, le policier, lui, embaume l'aftershave de bonne qualité. Ça sent l'aiguille de pin, le sous-bois…

Elle s'éloigne de lui, se dirige vers la cuisine, allume le plafonnier.

«Vous avez loué meublé?

— C'est juste en attendant. J'ai l'intention de tout remplacer. Si je reste assez longtemps…

— Vous avez dit que vous aviez loué pour un an…

— Oui, mais j'me garde la liberté de repartir si j'aime pas ça.

— Faites-vous ça souvent?

— Quoi, donc?

— Vous en aller, comme ça, tout quitter…

— C'est la première fois de ma vie. Non, au fait, c'est la deuxième… La première fois, c'était quand j'ai quitté la maison de mes parents, pis croyez-moi, j'avais des bonnes raisons. Mais j'espère que j'vas aimer ça, Montréal, que j'vas me sentir bien, ici, chus venue me reposer…

— Vous allez être servie… Le boulevard Saint-Joseph, y a rien de plus reposant en ville…

— Vous voulez dire que c'est plate?

— J'veux dire qu'y a pas grand vie…

— C'est peut-être ça que je veux… M'enterrer ici…

— Une belle femme comme vous? C'est criminel!»

Il a rougi tout d'un coup. Elle fait semblant de ne pas s'en rendre compte, ouvre la fenêtre de la cuisine, puis la porte.

« Ça sent un peu le renfermé… Faudrait que j'aère toute la maison… »

Elle revient vers lui un peu brusquement, lui tend la main.

« J'vous offrirais ben une tasse de thé ou de café, mais j'ai rien. Alors, merci de m'avoir aidée… C'tait ben gentil de votre part… »

Il semble hésiter, rougit une seconde fois, puis se décide :

« Euh… Écoutez, si vous avez rien dans' maison, je trouve que vous faites pitié de rester tu-seule, comme ça, le premier soir… Qu'est-ce que vous allez manger ? J'pensais… Prenez-le pas mal, mais je pensais… J'connais un bon restaurant chinois sur la rue Mont-Royal, c'est pas loin d'ici… Si vous êtes pas trop fatiquée… Je finis de travailler dans une heure, j'pourrais venir vous chercher… Si vous voulez, j'insiste pas… Si vous voulez pas, c'est pas grave… »

Est-ce que c'est ça qu'elle attendait ? Et qu'est-ce que c'est que ce cœur qui lui bat comme si elle avait dix-huit ans ? Elle a chaud, ses mains sont moites, elle a l'impression que la louve d'Ottawa file en douce pour faire place à une midinette prête à se jeter dans les bras du premier bellâtre venu. La fatigue ? Les nerfs ? La peur de rester seule ?

Elle enlève son chapeau dans un geste qu'elle sait séduisant, le pose sur la table, commence à retirer ses gants.

« J'vous préviens que j'vas porter la même robe, par exemple. Comme je vous le disais, le reste va arriver demain… »

Il jette un coup d'œil sur les deux valises.

«Ben non, j'ai pas de vêtements de rechange là-dedans. J'me rends compte que j'ai oublié... J'ai juste une robe de nuit... Ben... O.K., revenez dans une couple d'heures, j'vas faire c'que je peux pour pas trop vous faire honte...»

Le sourire est dévastateur, les dents blanches, droites ; il est de toute évidence ravi.

«Vous me ferez pas honte. Au contraire, j'vas être très heureux de vous avoir à mon bras... Madame...?

— Louise. Louise Wilson. D'Ottawa, comme je vous l'ai déjà dit...»

Il soulève sa casquette, lui fait un petit salut, elle croit qu'il est sur le point de lui faire un baisemain. Non, il se retourne, s'éloigne.

«À tout à l'heure, Louise Wilson d'Ottawa...»

Elle entend la porte d'entrée se refermer.

Elle s'assoit sur une des chaises placées autour de la table, se traite de folle, puis éclate de rire.

La baignoire à pattes de lion, écaillée par endroits, est énorme, profonde. Elle prend à elle seule presque la moitié de l'espace de la salle de bains. Sans doute une erreur, achetée par quelqu'un qui n'avait pas le sens des proportions. L'eau chaude provient d'un vieux chauffe-eau au gaz qui a un peu protesté lorsque Ti-Lou l'a allumé mais qui semble en fin de compte bien fonctionner. De l'eau jusqu'au cou, sa douleur à la jambe en partie calmée, Ti-Lou se laisse aller à la rêverie. Elle s'est tout d'abord reproché d'avoir accepté l'invitation du policier – dont elle ne connaît même pas le nom –, puis elle s'est dit que pour une fois elle avait eu le choix, elle aurait pu dire non et elle a choisi de dire oui. Durant les trente dernières années, elle était disponible pour qui voulait en payer le prix, elle ne pouvait jamais refuser, elle attendait, étendue dans son lit ou avachie dans sa bergère, que le téléphone sonne pour annoncer un visiteur dont elle aurait à endurer tous les caprices. Ou alors elle consultait son agenda doré où elle avait noté le nom ou le pseudonyme de ceux qui avaient pris la peine – ils étaient rares – de prévenir à l'avance de leur venue. Là, cependant, en ce début de soirée de fin avril, et pour la première fois depuis si longtemps, elle aurait pu dire un non poli et ferme et l'homme serait sans doute parti sans protester. Pourquoi a-t-elle accepté? Elle étire sa jambe douloureuse, se frotte énergiquement le pied. Faire circuler le sang, l'empêcher de se coaguler ou d'épaissir, elle ne se souvient plus trop. Petit sourire amer. Elle va sans aucun doute se voir dans l'obligation de se trouver un docteur McKenny à Montréal. Le voisinage en est plein, elle a aperçu la plaque d'un docteur Sanregret, à côté de chez elle, quand elle est venue louer l'appartement. Quelqu'un qui va la chicaner quand elle aura mangé trop de sucreries, qui ne sera pas trop choqué par son passé – quoiqu'elle pourrait bien le lui cacher – et qui essaiera en vain, comme l'autre, de lui faire comprendre le bon sens. Même diagnostic, mêmes conseils, mêmes reproches. Elle ajoute un peu d'eau chaude. Elle a accepté l'invitation du policier parce qu'il lui plaît, oui, c'est évident. Elle a aussi accepté, elle doit se rendre à l'évidence, pour ne pas rester seule en ce premier soir d'exil volontaire. Elle aurait eu à aller manger au restaurant, de toute façon, alors pourquoi pas en compagnie d'un bel homme? Elle ne connaît pas le quartier, il pourra le lui décrire, lui dire où acheter sa viande, ses fruits, ses légumes – à la pensée qu'elle devra faire la cuisine, elle panique un peu –, où magasiner ses vêtements, ses souliers. Elle jette la tête en arrière, glisse jusqu'au fond de la baignoire. Pas d'excuses, pas de justifications oiseuses, elle ne veut juste pas rester seule, pourquoi se le cacher? Elle se croyait écœurée à jamais des hommes en quittant Ottawa, quelques heures plus tôt, et voilà que... Non, c'est faux, elle ne s'est pas jetée à son cou, elle n'a même rien fait pour provoquer cette étonnante demande. C'est arrivé, elle en a profité, c'est tout. Pour ne pas passer la soirée à errer à travers l'appartement en se demandant encore une fois si elle avait fait le bon choix, si la retraite, si jeune, l'intéresse vraiment, si elle ne deviendra pas folle toute seule au fond du boulevard Saint-Joseph après toutes ces années d'étourdissements de toutes sortes pour oublier... qu'elle était seule. Elle a été seule au milieu des hommes, elle se condamne maintenant à le rester sans eux. Elle sort de l'eau à toute vitesse, s'éponge avec une vieille serviette qu'elle a trouvée pendue à un crochet derrière la porte. Que de choses à acheter, la lingerie parce qu'elle refuse de dormir dans les draps de gens qu'elle n'a pas connus, une batterie de cuisine parce que celle qu'elle a trouvée dans les armoires est toute cabossée et toute noircie, en plus du reste, en plus du reste... Ne pas se laisser aller au découragement, ne penser qu'aux quelques heures qu'elle va passer avec son policier à la fois timide et déluré qui a eu le courage de lui demander de sortir avec lui, mais n'a pas pu s'empêcher de rougir. Encore heureux qu'elle ait apporté dans son sac de voyage des dessous de rechange... Pourquoi pense-t-elle à ça? Elle n'a pas du tout l'intention de l'inviter à revenir avec elle! Pas du tout! Il lui reste une petite demi-heure. Elle se précipite vers ce qui sera désormais sa chambre à coucher, qu'elle trouve lugubre et sans personnalité. Elle va tout de même essayer de repasser sa robe si les occupants précédents de l'appartement ont par hasard laissé derrière eux un fer à repasser. Sinon, elle va l'accrocher dans la salle de bains pour qu'elle se défroisse dans la vapeur de l'eau chaude.

Ils ont descendu la rue Fabre vers le sud, traversé Gilford et puis Mont-Royal. Ti-Lou regardait Maurice – c'est son nom, Maurice Trottier – à la dérobée pendant qu'ils marchaient. Profil intelligent, front haut, nez droit, bouche intéressante. Moins impressionnant sans son uniforme, mais belle prestance tout de même. Mal habillé cependant. Il s'en est d'ailleurs excusé en disant qu'il ne s'attendait pas à aller souper avec une belle femme après son travail. Elle en a profité pour lui demander pourquoi il n'était pas marié. Il a regardé sa main gauche et a répondu que sa femme et sa fille étaient mortes de la grippe espagnole en 1919. Et qu'il n'avait pas gardé son alliance. Il l'avait placée dans le cercueil, au doigt de sa femme. Un souvenir de lui qu'elle emportait dans l'autre monde. Il a dit l'autre monde comme s'il voulait éviter le mot ciel. Un libre-penseur? Ou alors sa foi s'était-elle éteinte le jour de la mort cruelle et injuste de sa femme et de sa fille? Elle s'est excusée de son indiscrétion, il a répondu qu'il n'y avait pas d'offense, qu'elle ne pouvait pas savoir. Il a ajouté qu'il avait peu cherché la compagnie des femmes depuis. Que la guérison – s'il y en avait eu une – avait été longue et ardue.

Ils sont entrés dans un restaurant chinois situé au-dessus du cinéma Passe-Temps – trois films et un cornet de crème glacée pour dix cents –, rue Mont-Royal. Le plafond est bas, la décoration affreuse, l'éclairage aveuglant, le tapis usé et les odeurs qui se dégagent de la cuisine lui soulèvent un peu le cœur.

Ti-Lou n'aime pas beaucoup la nourriture chinoise mais n'ose pas le dire : les garçons saluent Maurice en souriant, l'hôtesse lui fait un grand sourire, ce doit être un habitué de la place, il donne même l'impression de connaître le menu par cœur et lui propose de commander pour eux deux, ce qu'elle accepte en se disant qu'elle touchera sans doute très peu à ce qu'on va lui servir.

Mais ce qui arrive dans son assiette est absolument délicieux. Elle le dit, il répond qu'il commande toujours des choses que mangent les Chinois, pas les autres clients qui ne s'intéressent qu'au Chow Mein, au Chop Suey et au Chicken fried rice. Il lui apprend ensuite que ce qu'on mange d'habitude dans les restaurants chinois n'est pas du tout chinois, que ça a été inventé en Amérique du Nord, que ce n'est qu'une version nord-américaine de ce que mangent vraiment les Chinois.

« Quand vous commandez un Po-Po Platter, dites-vous bien que y a rien de chinois dans ce que vous mangez… »

À un moment donné, il se penche au-dessus de la table.

« Ça sent peut-être pas bon, mais, comme vous pouvez le constater, ça goûte bon en s'il vous plaît ! »

Ils rient, le repas est agréable même si l'éclairage, trop cru pour une femme soucieuse de son apparence, est épouvantable.

Après le poisson plongé dans une sauce piquante presque noire, qui arrachait la bouche et que Ti-Lou a adorée, Maurice a toussé dans son poing, s'est essuyé les lèvres.

« Vous allez m'excuser, mais y faut que je vous parle en policier… »

Ti-Lou a un court moment d'inquiétude. A-t-il vu dans son jeu, a-t-il deviné son passé, ce que contiennent ses deux valises ? Sa disparition a-t-elle déjà été signalée ? Non, c'est impossible, il ne l'aurait pas invitée à manger.

« Qu'est-ce que vous voulez dire ? »

Il dépose sa serviette sur la table après l'avoir pliée.

« On prendra pas de dessert, c'est vrai qu'y sont pas ben bons dans les desserts, les Chinois… »

Elle prend le parti de rire.

« C'est ça que vous appelez parler en policier ? »

Il ne quitte pas son air sérieux.

« J'veux juste vous avertir d'une chose. Vous dire d'être prudente, de pas sortir tu-seule le soir. Y a un gars qui s'attaque aux femmes depuis quequ'temps. Avec un rasoir. On l'appelle le maniaque au rasoir. C'est vrai que jusqu'ici y opère juste au centre-ville, mais faites attention pareil. On sait jamais… »

Elle dépose sa serviette sur la table à son tour.

« Vous m'avez quand même pas invitée à souper pour me dire ça ! Vous auriez pu me le dire à mon appartement… »

Il rougit tellement qu'elle doit cacher son fou rire derrière sa main.

« Non… Je vous ai invitée parce que j'avais le goût. Je… »

Il s'arrête au milieu de sa phrase. Ti-Lou comprend qu'il n'ira pas plus loin, que ce serait trop difficile pour lui, qu'il n'a pas les mots ou qu'il est trop timide.

Il revient à son sujet initial, le maniaque au rasoir, un terrain où il se sent plus à l'aise : en bon policier qui se passionne pour son métier, il lui donne des détails, combien de victimes, où et comment on les a retrouvées, le danger que ça représente pour les femmes qui vivent seules, même loin du centre-ville. Elle le regarde avec une concentration feinte parce qu'elle ne l'écoute plus. Elle vient de réaliser dans quelle situation absurde elle s'est plongée. Elle sera peut-être recherchée dès demain matin, sinon par la police, du moins par la direction du Château Laurier qu'elle n'a pas prévenue de son départ et qui va se retrouver sans guidoune maison, source de revenu assez importante puisque ses clients payaient une généreuse ristourne à l'hôtel qui défrayait beaucoup plus que le simple tarif de la suite, elle est partie d'Ottawa avec deux énormes sacoches d'argent qu'elle va cacher dans le fond d'un placard comme une voleuse – elle n'a pas l'intention, comme à Ottawa, de louer des coffrets de sûreté dans les banques montréalaises –, elle a vécu en hors-la-loi et en dehors de la société toute sa vie, elle est, quel est le mot, une renégate? une révoltée? une tête brûlée? et elle se retrouve dans un restaurant chinois de la rue Mont-Royal en compagnie d'un policier qu'elle ne connaissait pas quelques heures plus tôt, qui a le béguin pour elle, c'est évident, qu'elle ne voudrait ni manipuler ni faire souffrir. Elle se sent tout d'un coup désarmée, impuissante. Elle n'a rien fait pour l'encourager, c'est vrai, mais elle n'a rien fait non plus pour l'éloigner. Au contraire. Parce qu'elle avait envie de s'étourdir en cette première soirée de solitude, en tout cas d'occuper son esprit à autre chose qu'à la pensée de la vie qui l'attend. Elle aurait dû refuser l'invitation de Maurice, rester terrée chez elle, manger les biscuits secs qu'elle a fourrés dans son sac de voyage avant de partir au cas où elle aurait faim dans le train, attendre au lendemain pour sortir de son appartement. Commencer sa nouvelle vie de recluse le soir même au lieu de remettre tout ça au lendemain.

« Vous m'écoutez pas, hein ? »

Elle sursaute presque.

« Excusez-moi, chus fatiquée. J'ai eu une grosse journée, j'aurais peut-être dû rester chez nous.

— Vous regrettez d'avoir accepté mon invitation ?

— Non, je regrette juste que ça se soit passé ce soir…

— On peut remettre ça, si vous voulez…

— On verra. On verra… »

Une autre chose la frappe alors qu'il lève la main pour demander l'addition.

C'est la première fois, oui, elle peut dire que c'est la première fois qu'elle mange au restaurant avec quelqu'un qui ne fait pas partie de l'élite d'Ottawa. Elle regarde autour d'elle. Elle est habituée au clinquant des grands restaurants de la capitale, aux lustres prétentieux, aux tapis épais ou aux planchers de bois bien ciré, aux bouquets de fleurs fraîches qui la séparent de ses hôtes, aux maîtres d'hôtel chiants, aux sommeliers chiants, aux clients chiants. Aux chateaubriands bouquetière et aux filets mignons bien saignants. Et surtout aux regards méchants des autres femmes. Ici, elle l'a remarqué, les femmes l'ont regardée avec envie. Parce qu'elle est belle et parce qu'elle est accompagnée d'un bel homme.

Et au lieu de se sentir angoissée, elle ressent une espèce de soulagement qu'elle ne pourrait pas s'expliquer. Une grande excitation s'empare d'elle qu'elle a de la difficulté à dissimuler. Tant qu'à sauter la clôture, pourquoi ne pas tout chambarder ? Pourquoi s'enfermer ? Pourquoi avoir peur de ce que Maurice Trottier pourrait représenter pour elle ? Pourquoi ne pas essayer d'être... heureuse ? Elle se rend compte qu'elle ne s'est pas sauvée d'Ottawa pour être heureuse, ça ne lui a même pas effleuré l'esprit, mais juste parce qu'elle en avait assez. Elle n'a pas pensé à un véritable bien-être, à un éventuel bonheur, elle s'est contentée de fuir sans réfléchir, et voilà qu'un simple policier, qui n'aurait sans aucun doute jamais eu les moyens de lui payer une visite au Château Laurier, lui ouvre des perspectives tout à fait nouvelles.

Et séduisantes.

Et si elle consacrait le reste de ce qu'il lui reste de temps à vivre à essayer d'être heureuse ? Elle se sent à la fois ridicule et exaltée. C'est enfantin, un rêve d'adolescente boutonneuse, mais mon Dieu que c'est excitant !

En sortant du café Banquet, ils font lentement le tour de la rue Mont-Royal. Ti-Lou s'est permis de prendre le bras de Maurice, Maurice montre à Ti-Lou où elle pourra magasiner, le lendemain : L. N. Messier, le seul grand magasin de la rue, dont les vitrines regorgent de vêtements qu'elle n'aime pas – robes trop courtes, sans forme, et chapeaux cloches –, mais qu'elle aura à acheter si elle veut paraître un tant soit peu moderne dans sa nouvelle vie ; Giroux et Deslauriers, la porte à côté, pour les chaussures.

« Je connais Giroux et Deslauriers... En tout cas, j'en ai entendu parler...

— Ah oui ? Giroux et Deslauriers est connu jusqu'à à Ottawa ?

— Non, mais j'ai une cousine qui travaille là... Ma tante Teena...

« — Vous connaissez Teena Desrosiers ?

— C'est la sœur de ma mère ! Ma mère est une Desrosiers !

— Ah ben ! Le monde est petit !

— Vous la connaissez, vous aussi ?

— Tout le monde la connaît ! C'est une vendeuse dépareillée ! Pis c'est la vieille fille la plus drôle du quartier ! »

Il s'arrête, replace son imperméable.

« Excusez-moi de parler de votre tante comme ça…

— C'est pas grave, c'est vrai que c'est une vieille fille. Je l'ai vue y a deux ans au mariage de ma cousine Nana pis est-tait en plein retour d'âge… J'vous dis que c'était quequ'chose…

— En tout cas, on veut toutes qu'a' nous serve quand on a besoin de souliers ! A' connaît son affaire ! Pis est tellement fine ! Ah ben, si c'est drôle le hasard, hein… »

Elle sourit en reprenant son bras.

« Oui, c'est drôle, des fois… »

Elle espère toutefois que Maurice ne parlera pas d'elle la prochaine fois qu'il ira s'acheter des chaussures. Quoiqu'il serait étonnant que sa tante Teena fasse étalage de l'ancien métier de sa nièce…

« J'vas aller la voir, demain matin…

— A' va peut-être vous faire un prix spécial… »

Ti-Lou jette un coup d'œil sur les souliers en montre dans la vitrine.

Elle n'avait pas pensé qu'elle aurait à affronter un membre de sa famille si tôt en arrivant à Montréal. Que lui dire ? J'ai donné ma démission parce que j'en avais assez de gagner ma vie sur le dos ? Voudra-t-elle seulement lui parler ? Et même la servir ? Mais au mariage de Nana, elle a été gentille avec elle. Pas comme l'autre, là, Tititte, avec son air pincé… À moins qu'il y ait une autre boutique de chaussures pas loin... Si y fallait que Teena apprenne qu'elle est allée ailleurs...

« Pourquoi vous souriez comme ça ? Vous les aimez tant que ça, les souliers que vous voyez ?

— Non, c'est pas ça, j'viens de penser à quequ'chose de drôle...

— Vous voulez pas me le dire ?

— Vous trouveriez pas ça drôle... C'est juste que... Personne dans ma famille sait que chus t'arrivée à Montréal.

— Vous avez beaucoup de parenté ici ?

— Du côté des Desrosiers, oui... Toute une gang.

— Pis vous leur avez pas annoncé votre arrivée ?

— Chus partie sur un coup de tête... Mais laissez faire, on parlera de tout ça une autre fois. »

Elle réalise qu'elle vient de lui donner un espoir de la revoir. Elle le regarde à la dérobée. Il a esquissé un assez joli sourire. Lui aussi a saisi l'allusion involontaire.

Ils remontent la rue Fabre sans se presser, s'arrêtent à l'angle de Gilford.

« Vous voyez, y a deux épiceries au coin de Fabre pis Gilford. Soucis pis Provost. Vous allez tout trouver, là : la viande, les légumes, les fruits... Pis c'est à deux pas de chez vous... Y délivrent, ça fait que quand vous allez avoir le téléphone, vous aurez juste à les appeler. Monsieur Soucis délivre encore avec une charrette tirée par un joual, mais monsieur Provost s'est acheté un char exprès pour ça... C'est leurs garçons qui font ça... Pis comme y sont un en face un de l'autre, y se font la guerre des prix... C'est commode pour les clients.

— Y ouvrent-tu de bonne heure ? J'ai rien pour demain matin...

— À sept heures sont ouverts pis y attendent les clients…»

Le reste de la promenade se fait en silence. La brise est douce. Le mois de mai est tout proche. Ti-Lou serait curieuse de savoir s'il y a des lilas dans le coin. Elle voudrait en mettre de pleines brassées partout dans l'appartement. Pour changer l'odeur. Mettre un peu de vie. En attendant, elle va l'asperger de gardénia.

Arrivée devant sa maison, elle se demande si elle devrait inviter Maurice à entrer quelques minutes même si elle n'a rien à lui offrir à boire; Maurice, de son côté, espère qu'elle le fera.

Ti-Lou a poussé la petite porte de la clôture.

«J'vous inviterais ben à rentrer pour un dernier verre, mais, comme vous le savez, j'ai rien à vous offrir…

— Écoutez, on va faire une chose… Si vous me le permettez, j'vas venir demain matin avec du café, du beurre, du pain, de la confiture… Y doit ben y avoir un percolateur dans votre appartement meublé… On prendra le déjeuner ensemble pis j'irai travailler… J'travaille de huit à six. Mais si vous voulez pas, si vous voulez dormir, c'est correct…»

Après avoir accepté avec un grand sourire, elle lui offre sa main que, cette fois, il embrasse.

«À demain, mademoiselle Wilson.

— À demain, monsieur Trottier. Pis inquiétez-vous pas, j'vas faire attention au maniaque au rasoir!»

ÉPILOGUE

Montréal, mai 1926

«Ton policeman, le vois-tu toujours?

— Toi, ton monsieur Rambert? Quand est-ce qu'on va aux noces?»

Le service à thé est posé sur une petite table entre leurs deux chaises. Maria a apporté un gâteau acheté rue Mont-Royal dans une pâtisserie belge qui vient d'ouvrir près de De Lorimier. Elle arrivait de chez sa sœur Teena en congé de maladie depuis quelques semaines à cause de vilaines douleurs au dos et n'a pas pu résister au présentoir, dans la vitrine, qui offrait des tartes aux pommes sans pâte sur le dessus, des tartes aux fraises où les fruits baignaient dans une crème pâtissière, des éclairs à l'érable et des trottoirs aux framboises, choses à peu près inconnues des Montréalais — en tout cas ceux qui habitaient le Plateau-Mont-Royal —, avant la venue de monsieur Broekhardt. Elle a longuement hésité avant de jeter son dévolu sur ce qui s'appelait un fraisier et qui lui semblait le comble de la perversité culinaire.

Elle lèche une dernière fois sa fourchette, prend une gorgée de thé où flottent des miettes de gâteau et des débris de fraises recouvertes de sucre.

«En tout cas, t'as fait une belle job avec ton appartement...»

Le ciel s'est assombri depuis quelques minutes. Maria étire le cou. Oui, la pluie s'en vient. Ça va faire du bien parce que le printemps est plutôt sec et que les feuilles nouvellement éclatées sont déjà quelque peu rabougries.

« On devrait peut-être rentrer, y va mouiller. »

Elles se sont installées sur le balcon que le propriétaire vient de repeindre et qui sent encore la peinture fraîche, Ti-Lou dans sa chaise berçante, Maria dans un petit fauteuil en rotin qu'elles sont allées chercher dans le salon. Des oiseaux piailleurs fouillent le gazon tout neuf dans le large terre-plein au milieu du boulevard Saint-Joseph.

« Non. La pluie vient de l'ouest, a'l' arrive de côté, a' monte presque jamais jusque sur le balcon… Pis j'aime ça la regarder tomber. Finis ton thé.

— Y est bon.

— Je l'ai trouvé dans un magasin de la rue Mont-Royal qui est toujours vide. Personne va là, j'sais pas comment y arrivent à rester ouverts… J'pense que chus leur seule cliente ! »

Maria fait tinter sa cuiller sur le bord de la jolie tasse en porcelaine vert amande.

« Tu dis n'importe quoi pour changer la conversation, Ti-Lou. T'as pas répondu à ma question.

— Toi non plus…

— Toi, tu le sais que je marierai jamais monsieur Rambert, moi, je le sais pas si tu vois toujours ton policeman… »

Ti-Lou se donne un élan avec les pieds. Elle se berce une bonne minute, tasse de thé à la main, avant de parler. Pendant tout ce temps, elle réussit à ne pas renverser une seule goutte de liquide chaud.

La pluie arrive. Ça sent vite l'asphalte mouillé. Les passants pressent le pas, un cheval qui tire une charrette remplie de blocs de glace à vendre lève la tête, s'ébroue et hennit, on dirait de plaisir.

« Quand chus t'arrivée à Montréal, l'année passée, y avait pas de chevaux devant la gare Windsor pis j'ai pensé qu'y en avait pus pantoute... »

Maria lance un soupir d'exaspération, se verse une dernière tasse de thé. Il sera bientôt l'heure d'aller se préparer avant de se rendre à son travail au Paradise..

« C'est correct. J'ai compris. En tout cas, encore mes félicitations pour ton appartement, ce que t'en as fait est assez incroyable à côté de ce que c'était la première fois que chus venue te visiter... »

Ti-Lou cesse de se bercer, se verse à son tour une tasse de thé.

« Faut dire que Maurice m'a ben aidée... »

Maria s'immobilise. Ti-Lou vient-elle de laisser échapper cette phrase sans s'en rendre compte, ou bien accepte-t-elle enfin de parler de son policeman ?

« C'est vrai, y s'appelle Maurice. J'm'en rappelais pus.

— Oui, Maurice Trottier. Pis, oui, j'le vois encore. J'le vois même beaucoup.

— C'est sérieux ?

— On parle jamais de ça. Ça va durer ce que ça va durer...

— Mais ça peut durer longtemps...

— Oui, ça peut durer longtemps.

— Espères-tu que ça va durer longtemps ? »

La pluie forme maintenant un rideau liquide qui les sépare du monde. Maria se dit qu'elle devra prendre un taxi pour rentrer chez elle. Ti-Lou, elle, se sent comme dans un confessionnal au fond d'un lac.

« J'ai peur d'en parler. J'ai peur que ça attire la *bad luck*. Tu comprends… À l'âge que j'ai, Maria, Maurice est le premier homme de ma vie ! Après les milliers d'hommes que j'ai connus, des milliers, Maria, Maurice est le premier qui fait pas ça avec moi parce que sa femme est frigide, ou ben parce que chus un cadeau du gouvernement du Canada, ou ben pour se payer une fantaisie d'un soir. J'me plains pas, j'ai choisi la vie que j'ai connue pis je regrette pas mes années au Château Laurier, c'est pas ça que je veux dire, mais je connais ma première relation sérieuse à cinquante ans ! Y a des hommes qui sont tombés en amour avec moi avant, mais je les ai toujours repoussés. J'ai jamais voulu être en amour, ça m'a jamais manqué ! Maurice, lui… Je sais pas comment dire ça. J'ai été obligée de changer de vie pis de changer de ville pour le rencontrer, c'est quand même un drôle de hasard ! Pis y s'est présenté à cheval, comme un prince Charmant de conte de fées ! Des fois j'me dis qu'y est trop fin, qu'y est trop parfait, que… pas que j'le mérite pas, je sais que chus aussi méritante que n'importe qui, mais… C'est une question de destin, Maria ! J'avais jamais pensé à ça, le destin, avant aujourd'hui ! Si le destin est correct avec moi cette année, qu'est-ce qu'y me prépare pour l'année prochaine ? Chus pas négative, je l'ai jamais été, chus juste… je sais pas… prudente, je suppose. Y a tout repeinturé l'appartement, y m'a aidée à choisir pis à acheter mes meubles, y me traite comme si j'étais la femme la plus importante du monde, y est trop parfait, Maria, ça se peut pas, un homme parfait comme ça ! Tous ceux que j'ai connus… J'ai juste été… J'ai été une bebelle, toute ma vie j'ai été une bebelle, pis là, tout d'un coup… chus juste une femme en amour.

Pis j'ai peur. Parce que j'ai l'impression que je mour-
rais si y s'en allait...»

Maria se penche au-dessus de la table, déplie son
bras, pose sa main sur celle de sa cousine.

«Y est-tu au courant...

— De mon passé? Ben non. J'ai été la fille gâtée
d'un sénateur d'Ottawa, j'me sus jamais mariée parce
que j'ai eu une grosse peine d'amour quand j'étais
jeune...

— Pis y te croit.

— Ben oui, en plus y est naïf! Ou ben y se fait
croire qu'y me croit... Tout ce qu'y sait, c'est que chus
diabétique. Y m'a même guérie des Cherry Delights,
imagine! J'en mange pus parce qu'y m'a convaincue
de pus en manger. J'ris, là, pis chus pas sûre que ça
soye drôle... Y m'a quasiment mise au régime, Maria,
j'ai presque accepté de me nourrir comme du monde
pour lui!»

Elle porte la main à son cœur.

«Chus-tu en train de renier ma belle liberté si
chèrement gagnée pour un policeman de la ville de
Montréal?»

Maria éclate de rire devant son sérieux.

«Pourquoi pas? Arrange-toi juste pour pas te laisser trop envahir...

— Comme toi avec monsieur Rambert?

— Comme moi avec monsieur Rambert. Y a-tu des
enfants, ton Maurice?

— Non. Pourquoi?

— Si y a pas d'enfants, y te demandera jamais en
mariage... C'est mieux comme ça...»

Elle se lève, fait tomber les miettes de fraisier qui
parsemaient sa jupe.

«La pluie est finie, j'vas aller prendre mon tramway.»

Ti-Lou se lève à son tour, répète les mêmes gestes que sa cousine.

«R'viens me voir. On se voit pas assez.

— On pourrait peut-être présenter nos deux cavaliers… »

Elles rient.

«Y me semble de voir ça… »

Maria pousse sa chaise, prend le cabaret sur lequel est déposé le service à thé.

«J'vas aller chercher mon chapeau. D'ailleurs, ça me fait penser… C'est pas vrai que ça te fait pas, les vêtements à la mode. Arrête de dire ça. T'es belle dans ce que tu portes… D'ailleurs, tu serais belle dans n'importe quoi.

— C'est ça que Maurice me dit… »

Maria se tourne avant d'entrer dans la maison.

«T'as peut-être raison. Méfie-toi, y est trop fin! »

Ti-Lou lui donne une tape sur les fesses.

Après avoir mis son chapeau devant le grand miroir toujours accroché derrière la porte de la chambre de Ti-Lou, Maria se frappe le front.

«Ah! J'oubliais! J'sais pas si Maurice te l'a dit, mais y ont fini par pogner le fameux maniaque au rasoir qui tuait des femmes depuis un an! Imagine-toi donc qu'y faisait semblant de promener son chien, ça fait que personne se méfiait de lui! Un fou de moins dans la ville… »

Elle embrasse sa cousine sur la joue.

« En attendant, profite ben de ton prince Charmant. »

Key West, janvier-avril 2012

OUVRAGE RÉALISÉ PAR
LUC JACQUES, TYPOGRAPHE
ACHEVÉ D'IMPRIMER
EN OCTOBRE 2012
SUR LES PRESSES
DE MARQUIS IMPRIMEUR
POUR LE COMPTE DE
LEMÉAC ÉDITEUR, MONTRÉAL

DÉPÔT LÉGAL
1ʳᵉ ÉDITION : 4ᵉ TRIMESTRE 2012
(ÉD. 01 / IMP. 01)

Imprimé au Canada